S0-BIE-737

Letteratura Italiana

14

Nella stessa collana:

1. Antonio Piromalli, *Utopia e realtà nelle letterature regionali*, 1991
2. Enzo Noè Girardi, *Letteratura come arte. Lezioni di teoria della letteratura*, 1991
3. Emma Grimaldi, *La costola d'Adamo. Proposte di lettura per il Mastro-don Gesualdo*, 1994
4. Pompeo Giannantonio, *Testimonianze cristiane*, 1994
5. Giulia Rocci Lassandro, *Donne e cultura tra Otto e Novecento*, 1995
6. Carlo Pecchia, *Il Caffè e la Cena*, a cura di V. Dolla, 1995
7. Pierantonio Frare, *L'ordine e il verso. La forma canzoniere e l'istituzione metrica nei sonetti del Foscolo*, 1995
8. Pompeo Giannantonio, *Itinerari dell'uomo. Indagini e prospettive critiche*, 1996
9. Dora Ferola Di Sabato, *Letture di Giuseppe Ungaretti*, a cura di F. D'Episcopo, 1995
10. E. Corsi, M.A. D'Agosto, G. De Marco, F. D'Episcopo, A. De Vita, I. Gallo, V. Guarracino, A. La Penna, A. La Rocca, V. Marini, M. Puca, *Enzio Cetrangolo poeta e traduttore*, a cura di F. D'Episcopo e A. De Vita, 1996.
11. Giuseppe De Marco, *Mitografia dell'esule. Da Dante al Novecento*, 1996
12. Milena Montanile, *Le parole e la norma. Studi su lessico e grammatica a Napoli tra Quattro e Cinquecento*, 1996
13. Francesco D'Episcopo, Luigi Galli, *Mario Muner e la poesia di Vincenzo Maria Rippo*, 1997

FILIBERTO BORIO

«Il fiocco della vita»
Parabola dell'Io nella poesia di Eugenio Montale

Edizioni Scientifiche Italiane

Borio, Filiberto
«Il fiocco della vita»
Parabola dell'Io nella poesia di Eugenio Montale
Collana: Letteratura Italiana, 14
Napoli: Edizioni Scientifiche Italiane, 1997
pp. 220; 21 cm.
ISBN 88-8114-435-2

80121 Napoli, via Chiatamone 7
00185 Roma, via dei Taurini 27
82100 Benevento, via Porta Rettori 19
20121 Milano, via Fratelli Bronzetti 11

Internet: www.dial.it/esi
E-mail: esi@dial.it

1
GLI ORECCHINI E DINTORNI[1]

Questo "sonetto elisabettiano"[2], come l'ha chiamato il poeta stesso, è, per la molteplicità dei suoi riferimenti, il testo ideale per aprire un'esplorazione dell'opera di Montale: ogni parola, non solo ogni verso, deve essere illustrata e interpretata, ed apre una linea d'indagine: alla fine il sonetto sarà diventato del tutto trasparente e anche un po' spremuto e forse disarticolato, ma si può confidare nel sicuro ritorno delle "meduse della sera", perché il commento più esaustivo è pur sempre un vissuto che va di tanto in tanto rinfrescato e aggiornato. Altrettanto bene una ricerca che partisse dai singoli temi troverebbe nel sonetto una sorta di ricapitolazione o catalogo. Di fatto sono ben poche le poesie di Montale che, a volerle interpretare adeguatamente, non richiedano lo sviluppo di molti temi collaterali e non si associno via via molte altre poesie, secondo un andamento a raggiera (o a ragnatela?), ma questa si trova naturalmente nella posizione più favorevole per il ragno. Riportiamo i quattordici versi:

Non serba ombra di voli il nerofumo
della spera. (E del tuo non è più traccia).
È passata la spugna che i barlumi
indifesi dal cerchio d'oro scaccia.
Le tue pietre, i coralli, il forte imperio
che ti rapisce vi cercavo; fuggo
l'iddia che non s'incarna, i desiderî
porto finché al tuo lampo non si struggono.
Ronzano élitre fuori, ronza il folle

[1] Per i testi mi rifaccio a EUGENIO MONTALE, *L'opera in versi*, edizione critica a cura di Rosanna Bettarini e Gianfranco Contini, Torino, Einaudi, 1980, abbreviato BC.

[2] Pubblicato la prima volta in *Prospettive*, anno IV, n. 11-12, Roma, 15 dicembre 1940.

mortorio e sa che due vite non contano.
Nella cornice tornano le molli
meduse della sera. La tua impronta
verrà di giù: dove ai tuoi lobi squallide
mani, travolte, fermano i coralli.

Una prima redazione è contenuta in una lettera di Montale a Giancarlo Vigorelli del 10 novembre 1940[3]. Può servire alla datazione quello che Montale vi dichiara: "Non l'ho lasciata crogiolare nel cassetto e perciò non so giudicarla io". Nel testo che segue abbiamo messo in corsivo i passi variati:

Non è ombra di voli nello specchio.
Anche del tuo *non è rimasta* traccia.
S'è levata la spugna che *dis*caccia
le nuvole dal cerchio d'oro vecchio.
Le tue pietre, i coralli, il forte imperio
che ti rapisce vi cercavo; *s*fuggo
l'iddia che non s'incarna, i desideri
che al tuo intrepido fuoco non si struggono.
Ronzano élitre fuori, ronza il folle
mortorio e sa che due vite non contano.
*Da*lla cornice *affiorano* le molli
meduse della sera. La tua impronta
verrà di *là*: dove ai tuoi lobi squallide
dita d'alighe appendono i coralli.

La differenza fra le due stesure sembra a prima vista soprattutto formale, e si noterà la fluidità acquistata dai due primi versi, staccati nella prima stesura, uniti in un unico periodo (che comprende la parentesi) nella seconda. Ma la differenza è più profonda, al di là dell'"oggettistica" quasi identica. La densità delle "nominazioni", oggetti o gesti, alta ma non ancora convulsa come sarà in poesie più tarde, consiglia di ripartirle in due serie non esclusive relativamente alla loro collocazione nell'opera complessiva: parleremo di termini "longitudinali", che hanno la loro origine (e la loro interpretazione) nell'opera precedente, di cui continuano e utilizzano la tematica: "volo", "barlumi", "imperio", "pietre, coralli", "élitre", "impronta"

[3] G.V. *Lettere inedite di Montale e la prima stesura de "Gli orecchini"*, Nuova Rivista Europea, Anno V, n. 24, agosto-settembre 1981, pp. 30-34.

e finalmente la “spera”. Un’altra serie, che chiameremo “laterale” è costituita dai termini che si spiegano nel contesto immediato della poesia, in sostanza nelle altre di *Finisterre*, e più esattamente nelle prime sette, fino a *La frangia dei capelli...* inclusa. Sono: “nerofumo”, “spugna”, “coralli” (la seconda occorrenza), “due vite” (che “non contano”), “molli meduse”, “squallide mani, travolte” e ancora la “spera”. Questo secondo gruppo rende conto dell’*hic et nunc* della poesia, della sua pregiata qualità di testimonianza di *quel* presente.

Così i “barlumi” risalgono certamente a *Il balcone*, e tanto può bastare per una parola che è venuta a rimpiazzare le “nuvole”, migrate nel “nerofumo” del primo verso. L’“imperio” è parte dell’atteggiamento della donna che nell’*Elegia di Pico Farnese* “distrugge le nere cantafavole”, ciò che sarà ripetuto ne *Le processioni del 1949*. La “messaggera accigliata” era dapprima “messaggera imperiosa” e il poeta rinunciò a malincuore all’aggettivo[4]. “Le tue pietre, i coralli” nascono modestamente ne *Le occasioni*, come amuleti (alla loro origine c’è il “topolino bianco, d’avorio” di *Liuba che parte*) e come dettagli della persona, fissati come emblemi che ne dichiarano il carattere e le funzioni: così il “piumaggio della tua fronte senza errore” dell’*Elegia*, “i tuoi / occhi d’acciaio” di *Nuove Stanze*, dove pure compaiono gli “anelli ... delle tue dita”. Dopo *Gli orecchini* troviamo le “giade ch’ài / accerchiate sul polso” de *La frangia dei capelli*, “gli amuleti”, “le sete” e “le gemme” de *Il tuo volo*. Questi, ai quali dovremmo aggiungere i dettagli d’arredamento, come lo specchio, non sono che gli oggetti del “volo”, il grande arco tematico che a partire da *Ti libero la fronte dai ghiaccioli*, si ritrova (implicitamente) in *Barche sulla Marna*, nell’*Elegia di Pico Farnese* (“la tua frangia d’ali”) e dopo *Gli orecchini* ne *La frangia dei capelli* (“l’ala onde tu vai”), in *Giorno e notte*, ne *Il tuo volo*. Curiosamente, se si può prescindere dal “volo strepitoso di colombi” di *Stanze*, questa è la prima occorrenza dove il tema s’incrocia con la parola: è ovvio d’altronde che le Concordanze[5] sono tanto più utili quanto meno il lemma è un tema e più un oggetto. Ed è significativo che il tema e l’oggetto si ricoprano tardi, e alla fine l’oggetto prevalga sul tema, come nel seguito della *Bufera*.

[4] BC, p. 927.

[5] GIUSEPPE SAVOCA, *Concordanze di tutte le poesie di Eugenio Montale*, Firenze, Olschki, 1987.

Dobbiamo aggiungere qualcosa sul contenuto del volo, che non è la versione angelica del volo degli uccelli, né un omaggio stilnovistico alla spiritualità della donna, che non ha bisogno – è un tratto fondamentale – di garanzia superiore, ma garantisce per se stessa. (Non mancherà il momento stilnovistico nella *Bufera*, ma mi sembra che non si presenti prima di *Iride*, che è del 1943-44.) Tanto può fare perché essa è la donna in quanto fisicamente desiderabile e l'anima partecipe dell'eternità: uso queste parole ricordando il "cuore vicino" che "salpa già forse per l'eterno" di *Casa sul mare*. Si potrebbe dire che il volo di Clizia è il ritorno di questo spirito partito (e dipartito, com'è noto). La donna è quindi l'incontro senza mediazione del desiderio e dell'esperienza spirituale: così il "volo" non è soltanto il rientro nell'atmosfera da un cielo più alto, ma anche il salto per cui il desiderio trascende anche il dato affettivo per trovarsi immediatamente "al di là": un'operazione rischiosa che può anche fallire, in più di un modo e per più di una ragione. Allora l'assenza di voli nello specchio significa sì che (dopo il volo degli uccelli) è venuto a mancare anche il volo fisico-spirituale della donna, il suo alto destino, ma soprattutto che i due estremi che il volo dovrebbe unire si sono disgiunti: ed è questo che vuol dire "l'iddia che non s'incarna", una frase che si trova in entrambe le stesure. Ora tutta la frase: "i desideri / porto finché al tuo lampo non si struggono" si può intendere come: porto (con me, dentro di me, o meglio, fino a te, al tuo cospetto) i desideri finché la tua natura alta (se questa è la connotazione di "lampo") non li "strugge", li sopprime e li vanifica. Nel testo della prima versione: "sfuggo ... i desideri / che al tuo intrepido fuoco non si struggono", mi sembra che "intrepido fuoco" sia quasi un ossimoro, appartenendo "intrepido" al momento superiore e quasi sicuramente "fuoco" alla sfera fisica. Sembrerebbe inoltre che "struggono" sia qui un tratto orgastico, per cui il senso del tutto sarebbe: evito i desideri ai quali non puoi dare appagamento. L'oscurità del passo in entrambe le stesure deriva dal valore quasi soltanto connotativo, e quindi difficilmente accertabile, dei termini che vi compaiono.

La "spera" è, nonostante la collocazione periferica, la parola centrale della poesia e non per nulla l'abbiamo assegnata a entrambe le serie. È modestamente uno specchio e in questo significato compare p. es. nel titolo di una poesia del Tommaseo: "A un albero che si riflette nella spera della mia stanza"[6], dove trovo interessante la somiglianza della messa in scena. Una volta su due lo specchio è, nella poesia di Montale, uno specchio d'acqua, e in quanto tale può esser limpido o più sovente turbato, incresparsi o tornar liscio. Un esempio della prima condizione è in *Ripenso il tuo sorriso*: "esiguo specchio in cui guardi un'ellera i suoi corimbi", o anche in *Corrispondenze*: "A specchio delle gore"; per contro in *Flussi*: "e fiotta il fosso impetuoso tal che / s'increspano i suoi specchi". In *Marezzo* si trovano entrambi i movimenti:

> Aggotti, e già la barca si sbilancia
> e il cristallo dell'acqua si smeriglia.
> ...
> Forse vedremo l'ora che rasserena
> venirci incontro nella spera ardente,

e fin qua lo specchio riflette o non riflette. Ma la superficie dell'acqua limita anche un mondo al di sotto:

> Un pescatore da un canotto fila
> la sua lenza nella corrente.
> Guarda il mondo del fondo che si profila
> come sformato da una lente.

Le citazioni non sono consecutive perché c'interessa per il momento più la cosa che la parola. Così le funzioni dello specchio (d'acqua, ma non necessariamente) sono definite come riflettere o lasciar trasparire. D'Arco Silvio Avalle[7] ha identificato una serie di poesie che termina con *Gli orecchini* e in un certo senso la spiega: sono: 1) *Vasca*, 2) *Cigola la carrucola nel pozzo*, 3) *Due nel crepuscolo*, 4) *Dora Markus II*, 5) *Vasca*, terza strofa espunta a partire dall'edizione Einaudi 1942 di *Ossi di Seppia*. Il terzo testo, datato in prima stesura 1926 sembra meno pertinente:

> Sta in un fondo sfuggevole, reciso
> da te ogni gesto tuo; entra senz'orma
> e sparisce ...

[6] N.T., *Opere*, a cura di Aldo Borlenghi. Napoli, Ricciardi, p. 69.

[7] *"Gli orecchini" di Montale.* Milano, Il Saggiatore, 1965; rifuso in *Tre saggi su Montale*, Torino, Einaudi, 1970.

ma non è escluso che si dimostri utile nel seguito. Uno specchio riflettente è quello di *Dora Markus II*:

> e un interno
> di nivee maioliche dice
> allo specchio annerito che ti vide
> diversa una storia di errori
> imperturbati e la incide
> dove la spugna non giunge.

Questo non è neppure uno specchio d'acqua, benché sia acquatica l'ambientazione più larga, in una Carinzia "di stagni", nell'"umida conca" dove gemono le oche. Le coincidenze verbali o quasi col nostro testo non devono ingannarci: il "nerofumo" non è il "tain du miroir" (tentativo non mantenuto dell'Avalle) dello "specchio annerito" e la spugna è per il momento un arnese del tutto ipotetico. È rilevante invece la "storia di errori / imperturbati" che si "incide" indelebilmente nello specchio, una storia prefigurata e autorizzata dagli antenati nei loro ritratti: "Ma è scritta già in quegli sguardi / di uomini che hanno fedine / altere e deboli ...", una storia dove si mescolano orgoglio e fragilità, e con tutto ciò irrinunciabile: "Non si cede / voce leggenda o destino...". Questo stesso "cedere" è la parola-chiave di *A mia madre* del 1942:

> se tu cedi
> come un'ombra la spoglia
> (e non è un'ombra,
> o gentile, non è ciò che tu credi)
> chi ti proteggerà?

La "spoglia", la persona morta in quanto conserva le ragioni della sua vita, non è un'ombra vana e "cederla" è rinunciare a ciò che si è stati per sé e per altri: "*quelle* mani, quel *volto*". Trasferiamo questi valori ne *Gli orecchini*: qui la "spugna" "scaccia" "i barlumi" dallo specchio, e comprendiamo che "scaccia" qualcosa che non vi si è inciso, e che invece "verrà di giù": la vita di lei come storia e valore: "voce, leggenda o destino". In *Serenata indiana*, immediatamente precedente a *Gli orecchini*, non vi è figura, neppure "vaneggiata", per chi ha perduto la vita propria:

Fosse tua vita quella che mi tiene
sulle soglie – e potrei prestarti un volto,
vaneggiarti figura.

Il volto vero che non si riflette più nello specchio è l'"impronta" del v.12, chiamato altrove (in *Stanze*, in *Palio*, ne *L'orto*) il "solco", che è il tracciato della strada della vita, del destino, p. es. in *Fine dell'infanzia*: "Norma non v'era, / solco fisso, confronto". La "forcella" di *Dora Markus II* e *A mia madre* ci autorizza a registrare questa determinazione della "spera" fra i termini longitudinali, in posizione d'altronde eccentrica rispetto alla linea della sua storia. Anche in alcune occorrenze più tarde lo specchio è il luogo da cui si riceve la propria magari imprevista verità, p. es. ne *Il primo gennaio* (*Satura II*): "torni dentro, allo specchio ti dispiaci", o ne *I travestimenti* (*Quaderno di quattro anni*): "Basta un'occhiata allo specchio / per credersi altri".

L'altra funzione dello specchio ha dei lontani precedenti, segnalati dall'Avalle: *Cigola la carrucola del pozzo*:

Torna un ricordo nel ricolmo secchio,
nel puro cerchio un'immagine ride.
Accosto il volto a evanescenti labbri ...

e *Vasca*:

dal fondo [del tremulo vetro] ne riassommava
la vista fioccosa e sbiadita.
...
Ma ecco, c'è altro che striscia
a fior della spera rifatta liscia.
...
se lo guardi si stacca, torna in giù:
è nato e morto, e non ha avuto un nome.
...
ché dove s'apre un tondo
d'acqua, comecché angusto,
tutte le vagheggiate
fantasime nel tuo profondo
s'umiliano ...

Gli ultimi versi appartengono alla terza strofa. Possiamo completare la forcella, ricorrendo a una poesia del 1976, *Ribaltamento* in *Quaderno di quattro anni*:

> La vasca è un grande cerchio, vi si vedono
> ninfee e pesciolini rosa pallido.
> Mi sporgo e vi cado dentro ma dà l'allarme
> un bimbo della mia età.
> Chissà se c'è ancora acqua. Curvo il braccio
> e tocco il pavimento della mia stanza.

Ma in questa funzione di lasciar trasparire lo specchio de *Gli orecchini* è direttamente lo specchio del mare, come appare dalla "spugna", questa volta non solo mezzo per cancellare, dalle "meduse della sera", e soprattutto dalle "dita d'alighe" della prima stesura. I primi e gli ultimi quattro versi, diciamo A e B, si corrispondono, essendo i sei versi centrali una sorta di excursus esplicativo. A e B si lasciano a loro volta dividere ciascuno in due: A nei versi 1-2 (A1) e 3-4 (A2); B nei versi 11-12 fino a "meduse della sera" (B1) e 12-14 a cominciare da "la tua impronta". La corrispondenza fra queste suddivisioni è chiastica, nel senso si corrispondono A1 e B2, A2 e B1. Quest'ultima è immediatamente verificabile, perché lo specchio vi è indicato con una sua parte, la cornice, indicata come "cornice" appunto in B1 e "cerchio d'oro" in A2, nella prima stesura "cerchio d'oro vecchio"; le "meduse" rispondono poi alle "nuvole" della prima stesura, che ha fornito, come abbiamo visto, il "nerofumo" alla seconda, e ai "barlumi" di questa, che vanno intesi quindi come le tracce per quanto luminose della vita alta, e continuano i "voli" in senso discendente. Lo stacco di A1 e B2 dalla coppia centrale è ottenuto in due modi opposti: dalla parole eletta e rara, la "spera" (di cui questa è la terza e ultima occorrenza nella poesia di Montale) e – niente del tutto: è direttamente visibile il fondo. Uso espressamente questa parola, perché compare altre due volte in questo giro di poesie: in locuzione avverbiale in *Nel sonno*:

> e quando il sonno la trasporta
> più in fondo, è ancora sangue oltre la morte,

e come complemento diretto ne *La frangia dei capelli*, che è in qualche modo una palinodia de *Gli orecchini*:

e s'ora
d'aeree lanugini s'infiora
quel fondo, a marezzarlo sei tu ...

dove "*quel* fondo" non ha referente riconoscibile, è occupato anziché dal "nerofumo" dalle "aeree lanugini" ed è tale per opera di lei anziché di qualche essere malintenzionato. Quanto alla condizione della donna, che nell'autocommento[8] "è tanto assente da sembrar quasi morta" (ma i connotati, vedremo, non sono quelli della morte) sembra che ricalchi, rovesciandola, la situazione del canto d'Ariele nella *Tempesta* di Shakespeare (I,ii):

Full fadom five thy father lies;
Of his bones are corals made;
Those are pearls thet were his eyes;
Nothing of him that doth fade,
But doth suffer a sea change
Into something rich and strange,

che il poeta aveva citato ne *Il ramarro, se scocca*: "Luce di lampo / invano può mutarvi in alcunché / di ricco e strano. Altro era il tuo stampo". E quale rovesciamento: invece di essere ripristinata nel "*suo* stampo", la donna riceve le sue insegne dalle "squallide mani, travolte" non si sa di chi, forse dalle sue stesse ch'ella non è più in grado di riconoscere per sue. E non è escluso un tratto quasi derisivo. Il "nerofumo", oltre a riprendere il "buio ... rotto a squarci" di *Lungomare*, è poi il protagonista attivo di *Serenata indiana*:

Il polipo che insinua
tentacoli d'inchiostro fra gli scogli
può servirsi di te. Tu gli appartieni
/ e non lo sai. Sei lui, ti credi te.

Il polipo è il diretto rivale del soggetto e l'incarnazione del male, di cui la donna è diventata complice e vittima: il seduttore infernale del *Demon* di Lermontov, o dell'*Eloah* di De Vigny. Non è l'unica volta che la fantasia montaliana lascia intravvedere suggestioni romantiche.

[8] BC, p. 942.

Ma nella donna sul fondo dobbiamo vedere anche la sirena, la seduttrice, e con questo torniamo alla coppia A2-B1. Si può pensare che "le molli meduse della sera" tornino nello specchio per conto del "polipo", del quale sono, in una zoologia fantastica, delle forme attenuate, per attrarre il soggetto alla visione della donna in deriva: in questa lettura forse troppo intenzionale s'insinua un momento da non lasciar cadere. Osserviamo allora che "nell'ingannevole anello" di *Vasca* (terza strofa espunta) erano comparse le "molli parvenze", che in *Buffalo* "donne ilari e molli" aspettano l'"approdo di una zattera", carica degli uomini di cui "Si vuotavano ... gli autocarri"; notiamo i "molli soriani" dell'*Elegia di Pico Farnese* e il "bel soriano / che apposta l'uccello mosca sull'alloro". Similmente, ma l'analogia è un po' sfocata, in *Due nel crepuscolo* "Ti guardo / in un molle riverbero", che è il mezzo in cui comunicano le due persone divise. Possiamo descrivere la situazione dicendo che nella "cornice" che la "spugna" ha svuotata compaiono le "molli meduse" che sono in fondo la donna stessa in quanto posseduta dal "nerofumo": è un tentativo di seduzione, ed è il rifiuto (necessario perché la seduzione sia tale) che spiega lo stacco fra B1 e B2 e il piglio alquanto volontaristico degli ultimi versi. Su questa tematica del buio e della seduzione, col relativo smascheramento, sono costruite anche le due poesie già citate: *Lungomare* e *Serenata indiana*. Leggiamo nella prima:

> Troppo tardi
> se vuoi esser te stessa! Dalla palma
> tonfa il sorcio, il baleno è sulla miccia,
> sui lunghissimi cigli del tuo sguardo.

La seduzione "scatta" esattamente quando è stato individuato il destino (il "te stessa") perduto. Nella seconda:

> Puoi condurmi per mano, se tu fingi
> di crederti con me, se ho la follia
> di seguirti lontano e ciò che stringi,
> / ciò che dici, m'appare in tuo potere,

i modi del di lei esser con altri, "ciò che stringi, ciò che dici", sono passati in proprietà e uso altrui, e occorre ricordarlo per non soccombere alla "follia / di seguirti lontano". "Condurre per mano" può non essere un gesto di seduzione solo se il soggetto s'illude sulla reale sudditanza di lei. *Su una lettera non scritta*, che studieremo nel prossimo paragrafo, non parla proprio di seduzione, ma i suoi mezzi, evidentemente fantasticati, e il relativo rifiuto, vi hanno una rappresentanza:

> Oh ch'io non oda
> niente di te, ch'io fugga dal bagliore
> dei tuoi cigli. Ben altro è sulla terra.

Da questa analisi dovrebbe risultare come tutti gli elementi che abbiamo indicati come serie laterale, compaiano altrove in *Finisterre*, e prendano ne *Gli orecchini* una superiore organizzazione. Ma non è il caso di parlare di prestiti e riutilizzi da materiale recente, perché in realtà tutto il gruppo va considerato come una poesia unica, divisa nelle sue fasi dalle occasioni del loro esser così, della loro *haecceitas*. Sono significativi gli autocommenti del poeta[9] per *Lungomare*: "Non c'è Clizia, è tutto realistico, la palizzata e il resto", per *Serenata indiana*: "Non è per Clizia", mentre nell'autocommento de *Gli orecchini* Clizia non è neppure nominata: è il più evidente depistaggio di "Montale che commenta Montale" e insieme un tentativo di mascherare l'atteggiamento non proprio stilnovistico nei riguardi della donna. Se n'è accorto, ch'io sappia, Romano Luperini[10].

Insieme a *Gli orecchini* abbiamo studiato, almeno dal punto di vista tematico, *Lungomare* e *Serenata indiana*, e parleremo a lungo di *Su una lettera non scritta*. Delle prime sette poesie di *Finisterre* che formano un gruppo compatto, son rimaste fuori *Nel sonno*, pubblicata nel 1940 insieme a *Su una lettera non scritta*, *La bufera* e *La frangia dei capelli*, che sono le due ultime, uscite nel febbraio e rispettivamente nell'aprile del 1941. Le prime due condividono con le poesie già trattate buona parte della tematica, e si trattano opportunamente in questa sede.

Di *Nel sonno* dice l'autocommento: "C'è Clizia, ma non è necessario darle questo nome." Infatti se Clizia, che è certamente la donna di cui si parla, è la condizione necessaria della poesia (senza la quale, voglio dire, la poesia non sarebbe nata), essa non vi figura nei suoi lineamenti tipici, perché la poesia è tutta immersa nell'esperienza soggettiva. Le immagini dell'acqua che scorre incanalata:

[9] BC, pp. 939 sgg.
[10] R.L., *Storia di Montale*, Bari, Laterza, 1992, pp. 124 sgg.

tutto questo
può ritornarmi, traboccar dai fossi,
rompere dai condotti, farmi desto
alla tua voce,

fanno parte di un'imponente tematica, su cui ci tratterremo ripetutamente, quella del sangue che circola portando attorno impulsi "ormonali" e desideri: l'acqua è incanalata appunto come il sangue nei suoi vasi, ma pronto a "rompere dai condotti" (notiamo l'uso della parola generica, quasi astratta). E questo impeto del sangue riproduce il risveglio dell'adolescenza coi suoi spasimi e timori:

i gemiti e i sospiri
di gioventù, l'errore che recinge
le tempie e il vago orror dei cedri smossi
dall'urto della notte –

La "*sua* voce", a cui il soggetto si desta, rientra nel ruolo di Clizia come causa assente e di fatto non contiene elementi di seduzione. Ma a questo "episodio" del sangue si articola la chiusa imprevedibile:

Entra la luna
d'amaranto nei chiusi occhi, è una nube
che gonfia; e quando il sonno la trasporta
più in fondo, è ancora sangue oltre la morte.

Se "più in fondo" e "oltre la morte" si corrispondono quanto a valore comparativo, allora il fondo è la morte, e risulta non così semplicemente avverbiale come avevamo segnalato. In parallelo con l'assenza di seduzione, "la morte" non suona come "la *tua* morte", piuttosto è la *mia*, quella che in generale pon fine al fluire dell'acqua. Ma il negativo della poesia non è nel presentimento della morte nella vita dei sensi, quale è già nel "vago orror dei cedri smossi", ma nel permanere di un potere ostile, dai segnali striduli e metallici, "il suono / d'una giga crudele", "l'avversario" che "chiude / la celata sul viso". "L'avversario, nota il poeta[11], è il nemico muto di Costa San Giorgio"; ne parleremo nel capitolo su *Palio* al quale riman-

[11] BC, p. 941.

diamo; notiamo solo che come il "nemico muto" è nascosto, "in fondo", qui nel manifestarsi si occulta, a indicare che cosa veramente agisce dietro le sollecitazioni del sangue. Una "luna", forse dapprima immagine del cuore, rossa e immarcescibile, come dice il nome dell'amaranto (il fiore), ma per questa qualità anche sostanza preziosa, "entra nei chiusi occhi", non solo facendo tutt'uno, in quanto visione immanente, col soggetto, ma addirittura occupando tutto il suo spazio. Una "cosa" assai simile si ritrova ne *La bufera*: "brucia ancora / una grana di zucchero nel guscio / delle tue palpebre", ed è certamente la continuazione di quella di *Nel sonno*, che è dell'agosto 1940, mentre *La bufera* è stata pubblicata nel febbraio 1941. Trasferiamo quindi il valore simbolico della "cosa" da quella a questa, non senza aver prima riletto tutta la strofa:

> (i suoni di cristallo nel tuo nido
> notturno ti sorprendono, dell'oro
> che s'è spento sui mogani, sul taglio
> dei libri rilegati, brucia ancora
> una grana di zucchero nel guscio
> delle tue palpebre.)

È un ricordo o uno strascico di piacere nell'ambiente del sonno (il "nido notturno") in una cornice di "luxe, calme et volupté" (è l'*Invitation au voyage* di Baudelaire, dove l'arredamento e la voluttà sono associati: "Des meubles luisants / Polis par les ans, / Décoreraient notre chambre"). L'ambientazione è completata da un preciso ricordo dell'*Autobiografia* di Saba (1924), n.15: "D'antiche legature un oro vario / l'occhio per gli scaffali errante allieta", e più sotto: "gli occhi che han veduto tanto". L'altro capo di questa figurazione ci viene da *Memoria d'Ofelia d'Alba* (1932) di Ungaretti: "Da voi ... / Tutta la luce vana fu bevuta, / Begli occhi sazi nelle chiuse palpebre", dove la qualifica di "vana" della luce si applica ugualmente alla "grana di zucchero", ripresa poi nella strofa seguente come "manna", quasi prodotto di decadimento del marmo, dolce e rapidamente corruttibile (Esodo, XVI). In Ungaretti il contrasto è con le entità permanenti: "Emblemi eterni, nomi, / Evocazioni pure..."[12].

L'altro polo della poesia è il lampo come termine e in certo

[12] Rimando a MARIO PETRUCCIANI, *Poesia come inizio. Altri studi su Ungaretti*, Napoli, ESI, 1993.

modo ragione finale della bufera, un lampo che però non è in linea con l'uso che Montale fa di questo termine intorno a quegli anni: i precedenti prossimi sono la "luce di lampo" de *Il ramarro se scocca*, "il lampo delle tue vesti" dell'*Elegia di Pico Farnese*, il "lampo del tuo sguardo" di *Nuove stanze*, e anche il "tuo lampo" de *Gli orecchini* appartiene a questa linea nonostante il suo potenziale distruttivo. Si direbbe però che quest'ultima occorrenza abbia dato una sorta di svolta all'idea perché i "crudi lampi" de *Il ventaglio* non sono benigni, benché l'oggetto della loro aggressione siano "le orde", mentre solo "il tuo lampo" di *Sulla colonna più alta* (1950) ne ripristina la qualità iniziale. Ma al di là di queste non trascurabili differenze, in tutte queste occorrenze il lampo è dichiarazione e dimostrazione della qualità di lei, e in tutte, salvo la prima dove ha una funzione di termine di confronto, appare in suo potere. Qui al contrario il lampo è al servizio di una forza ostile, la bufera

> che sgronda sulle foglie
> dure della magnolia e i lunghi tuoni
> marzolini e la grandine,

e che la sorprende nel sonno voluttuoso. Questo però non è del tutto vero, perché fra lei e il lampo esiste come una complicità atmosferica: con lei si confronta "la pianola degl'inferi" di *Infuria sale o grandine?*, che

> brilla come te
> quando fingevi col tuo trillo d'aria
> Lakmé nell'Aria delle Campanelle,

e la complicità è identità di natura nella terza strofa:

> il lampo che candisce
> alberi e muri e li sorprende in questa
> eternità d'istante – marmo manna
> e distruzione – ch'entro te scolpita ...

Commenta il poeta[13]: "Marmo manna e distruzione sono le componenti di un carattere: se tu le spieghi ammazzi la poesia." Ma queste "componenti" non sono così oscure, la loro enunciazione non è

[13] BC, p. 939.

che una sintesi della strofa precedente, e le annotazioni sulla natura "ignea" di Clizia si ripetono fin nell'ultimo Montale. Così la distruzione interiorizzata dovrebbe togliere il problema di "capire" il suo carattere: con tutto ciò il rapporto fra lei e il lampo rimane opaco, perché appunto il lampo non è suo, viene da altrove, e Clizia, il personaggio poetico s'intende, può entrare in relazione solo identificandosi: la sua autoreferenzialità si troverà molto più tardi (1973) riassunta in *Due destini*: "Clizia fu consumata dal suo Dio / ch'era lei stessa". Così in questa sciagura meterorologica, di cui è pure quasi complice, ella non porta nessun *amor fati*, l'avvenimento le rimane estraneo, la "sorprende", appunto. Non stupisce quindi che la "sorella" sia chiamata "strana".

"La Bufera – nota ancora il poeta – è la guerra, in ispecie *quella* guerra dopo *quella* dittatura ...", e difatti leggendo la quarta strofa:

> e poi lo schianto rude, i sistri, il fremere
> dei tamburelli sulla fossa fuia,
> lo scalpicciare del fandango, e sopra
> qualche gesto che annaspa...

vien fatto di pensare, tanto per cominciare, alla caduta e allo scoppio di una bomba e al cratere conseguente; ma, nonostante l'epigrafe di D'Aubigné, di cui si può ritenere soltanto il riferimento personale del "*nous* persécuter" [cn], nè della guerra, nè di *quella* guerra si vede nient'altro, mentre resta in primo piano la scena della danza disordinata e inconsapevole, quasi epilettica, verso la morte o almeno la sparizione, e la rima implicita quanto inevitabile di "fandango" con "fango" aggiunge un tratto di derisione. Aggiungiamo che se da un anno e mezzo lo scoppio d'una bomba d'aereo era in Europa un fatto di altissima frequenza, nella Nuova Inghilterra o N. J. (così in un paio di poesie delle ultime) Clizia si trovava al sicuro. Come se il poeta avesse trasferito sulla donna un pericolo che minacciava lui e chi gli stava intorno ... un'idea, se non avesse un precedente, abbastanza strana che sembrerebbe nascondere come una richiesta di partecipazione da parte del soggetto.

Al di qua di quanto è destino, vicenda noumenica, resta da ultimo il fenomeno di un gesto consueto:

> Come quando
> ti rivolgesti e con la mano, sgombra

la fronte dalla nube dei capelli,
mi salutasti, per entrar nel buio.

Continua il commento del poeta: "Il buio è tante cose; distanza separazione, neppure certezza che lei fosse ancora viva." L'ipotesi sfavorevole è al solito la vera, perché leggiamo in un mottetto: "Lontano, ero con te quando tuo padre / entrò nell'ombra e ti lasciò il suo addio", una notizia della morte, come questa è un'anticipazione; e notiamo la sequenza ("entrò" ... "lasciò") rovesciata, che lascia il "buio" in evidenza; mentre la forma "noumenica", la fossa, il cratere, si ripete ne *L'arca*: "quanti da allora ... son calati, / vivi, nel trabocchetto", e ne *Il ventaglio*: "la calanca / vertiginosa inghiotte ancora vittime". Da questo unico punto fermo della morte si può retrocedere fino a ritrovare quel lampo ch'è il doppio di lei, e quindi anche lo strumento della sua connaturata "distruzione". E l'opacità che abbiamo notata è quella definitiva della persona a cui non si può più chieder conto di nulla.

Torniamo indietro ancora di un passo nella successione dei lampi e, oltre l'occorrenza a quanto sembra anodina di *Buffalo* (1929, "lampi di specchi") troviamo il lampo di *Stanze* (1927-29):

o scoperse, qual lampo che dirami
nel sereno una ruga e l'urto delle
leve del mondo apparse da uno strappo
dell'azzurro l'avvolse, lamentoso.

Questo lampo ancora fortemente naturalistico e lo "strappo / dell'azzurro" prolungano alcune poesie di *Ossi di seppia* che discuteremo partitamente nel 3° capitolo, ma di cui bisogna aver presente almeno il campione più rappresentativo, da *Il canneto rispunta i suoi cimelli*:

Un albero di nuvole sull'acqua
cresce, poi crolla come di cinigia.
...
sei lontana e perciò tutto divaga
dal suo solco, dirupa, spare in bruma.

E infatti ecco la ripresa di *Stanze*:

In te m'appare un'ultima corolla
di cenere leggera che non dura
ma sfioccata precipita,

Tutta la poesia è, un po' meno vistosamente de *La bufera*, una catena di opposizioni, a cominciare da quella delle prime due strofe tra "il sangue che ti nutre", la "linfa ... che batte ai polsi inavvertita" e dà a lei – Arletta, ma la caratterizzazione si adatterebbe anche alla donna di *Costa San Giorgio* – la sua collocazione nell'ambito dell'esistenza organica, nel "putre / padule d'astro inabissato", dal quale trae l'impulso vitale ch'essa ignora e, nella seconda strofa, "la rete minuta dei tuoi nervi" che ha la delega dello spirito nell'impianto alquanto fisiologico della poesia:

> Pur la rete minuta dei tuoi nervi
> rammenta un poco questo suo viaggio
> e se gli occhi ti scopro li consuma
> un fervore coperto da un passaggio
> turbinoso di spuma ...

Il "fervore" è, chiaramente, il manifestarsi della sensibilità e il "passaggio / turbinoso di spuma" appartiene al gruppo di metafore in cui si esprime l'impeto del sangue, di cui la "rete ... dei nervi" ripete il percorso. L'opposizione è colmata nella perfezione "che non dura" dell'"ultima corolla". Così la distruzione operata dal lampo o dall'"urto delle / leve del mondo" appartiene alla natura di lei. Il rapporto con *La bufera* è quindi più che di un precedente, è un'identità espressa coi mezzi ricavati da un'altra immagine della natura. Non c'è congedo di Arletta, c'è solo il modo noumenico della sua fine:

> Voluta,
> disvoluta è così la tua natura.
> Tocchi il segno, travàlichi. Oh il ronzio
> dell'arco ch'è scoccato, il solco che ara
> il flutto e si rinchiude. Ed ora sale
> l'ultima bolla in su.

Appartiene ancora al mondo degli *Ossi di seppia* il fatto che "il solco" che "si rinchiude" (anziché, come sarà in *Palio*, "restare inciso") segni la cancellazione del destino, in quanto essenza e individuazione della persona, come pure di quel mondo ("scontare / la vostra gioia con la mia condanna" in *Crisalide*) è l'appropriazione del saldo negativo, l'"oscurità che scende su chi resta". Ma "l'ultima bolla" che "sale ... in su" è una troppo evidente anticipazione del "qualche gesto che annaspa", con cui condivide il tono non copertamente derisorio...

Dei voli di cui lo specchio non serba neanche l'ombra c'è qualcosa da dire: saranno voli d'uccelli, rondini per esempio, tanto diversi dal volo di Clizia quanto basta per stabilire una debole opposizione. Come il volo di lei è metafisico, così quello degli uccelli è emblematico: essi dànno nel volo tutto ciò di cui la loro natura è capace, come pure la donna è nel volo immagine dell'anima (detto approssimativamente), di cui è supporto e visualizzazione. L'opposizione importante è però all'interno del mondo animale: fra gli uccelli – di specie "alta": rondini, falchi, una cicogna – e il loro volo da una parte, dall'altra le creature "basse" e il loro muoversi avanti e indietro. Così leggiamo nella poesia liminare di *Ossi di seppia*, una delle ultime in ordine di tempo (1924), *Godi se il vento ch'entra nel pomario*:

> Il frullo che tu senti non è un volo,
> ma il commuoversi dell'eterno grembo;
> vedi che si trasforma questo lembo
> di terra solitaria in un crogiuolo.

A prima vista vi è opposizione fra il "volo" e il "commuoversi...", come se il "frullo" non potesse essere che l'uno o l'altro: ci si aspetta un volo, un involo, ed ecco il movimento oscuro e strisciante di qualche *sabandija*. A questa lettura immediata si ha ragione di obbiettare che il "volo" e l'"eterno grembo" sono entrambi termini positivi nel sistema assiologico montaliano: si può dire allora che il "frullo" è sì un "volo", ma che questo è a sua volta riassorbito dalla vita minuta del "crogiuolo". L'ultima strofa:

> Cerca una maglia rotta nella rete
> che ci stringe, tu balza fuori, fuggi!

ci suggerisce però che il frullo è un volo non riuscito, che nessun volo può riuscire, salvo questo "balzare" per la "maglia rotta": si ripristina così, al morale, l'opposizione fra il "volo" e il "crogiuolo" della vita nella sua ripetizione uniforme.

Prossima a questa per data e pensiero è *Meriggiare pallido e assorto*, dove il rimescolio indistinto di questa vita rivela a un occhio attento i suoi personaggi:

> ascoltare tra i pruni e gli sterpi
> schiocchi di merli, frusci di sterpi.
> / Nelle crepe del suolo o su la veccia
> spiar le file di rosse formiche ...

L'opposizione che così risulta fra gl'insetti e gli uccelli, suggerisce di far seguire nel nostro percorso di lettura i vv. 9-10:

> Ronzano élitre fuori, ronza il folle
> mortorio e sa che due vite non contano,

ai primi due. L'itinerario corrente è altro. Secondo lo stesso Montale, le elitre rappresenterebbero[14] "gli aerei da guerra, visti come funesti insetti". Associando questo ronzio alla "molli / meduse della sera" si avrebbe una sorta di paesaggio o interno serale: ed è vero che gli aerei del tempo (dicembre 1940) ronzavano ed erano visibili come oggi non sono. Non vedo però, in questa poesia dove gli elementi diversi sono connessi essenzialmente per via associativo-oppositiva, alcuna sollecitazione a formare un quadro d'insieme, un paesaggio o una situazione vissuta, come, per intenderci, quella di *Due nel crepuscolo*. Dice l'Avalle[15]: "Il ronzare delle elitre può infatti essere stato provocato, come per contrapposizione, dall'altra immagine, quella dei voli di cui non è più traccia nello specchio": ed è così, ma fondamentalmente, non *en passant*. Se poi per questi versi "più che di sfondo si dovrebbe parlare di innesto"[16], e "i risultati ottenuti ... non appaiono dei più convincenti"[17], la causa ne è non l'arbitrarietà dell'inserimento, ma il dislivello tematico – d'altronde inerente all'opposizione – rispetto al resto della poesia. Dislivello che le considerazioni precedenti dovrebbero aver già ridotto e aggiungiamo che se i coleotteri (maggiolini p.es.) possono volare e ronzare in tutta sicurezza, è perché le rondini non volano più. Inoltre il "mortorio", commemorazione funebre o anche nenia, come il ronzio degli insetti, solo per un eccesso di metonimia può stare per le stragi della guerra: assai più prossimo è il "morto / viluppo di memorie", il "reliquiario" della citata poesia liminare.

[14] BC, p. 941.
[15] Cit., p. 77.
[16] Cit., p. 75.
[17] Cit., p. 76.

La contemplazione estiva continua con *Gloria del disteso mezzogiorno*:

> L'arsura, in giro; un martin pescatore
> volteggia su una reliquia di vita,

e con la "statua dell'"estate" di *Flussi*:

> e su lei cresce un roggio
> di rampicanti ed un ronzio di fuchi
> ...
> la vita è questo scialo
> di triti fatti ...
> ...
> sul fitto bulicame del fossato.

Non importa che i merli e il martin pescatore appartengano in realtà al genere antagonista; sono uccelli, per quel momento, senza volo, o di volo orizzontale ("volteggia"), quale è tipico anche degl'insetti; aggiungiamo che il "ronzio di fuchi" è poco verosimile, dal momento che le api maschio muoiono o sono uccisi subito dopo la riproduzione.

Anche i pipistrelli vengono ascritti a questo genere, in *Marezzo*:

> lo sciame che il crepuscolo sparpaglia
> dei pipistrelli ...
> ...
> Ci chiudono d'attorno sciami e voli.

Qui non solo gli "sciami" sono debitamente opposti ai "voli", ma i due generi sono sommati a formare la totalità della vita. Desteranno quindi qualche preoccupazione, entro una serie apparentemente positiva, i due versi di *Stanze*:

> e fu chi vide vagabonde larve
> dove altri scorse fanciullette a sciami.

E potrebbe fare al nostro caso anche "lo sciame dei tuoi pensieri", nella *Casa dei doganieri*. L'origine dello sciamare è forse in *Tentava la vostra mano la tastiera*: "Passò nel riquadro azzurro una fugace danza / di farfalle", che non è problematica solo perché il problema vi è rimosso: "Nessuna cosa prossima trovava le sue parole". E tipicamente "sciamante" è pure il volo minuto degl'insetti: *Verso Vienna*:

> Emerse un nuotatore, sgrondò sotto
> una nube di moscerini;

Verso Capua:

> Si arrestò pochi istanti, l'equipaggio
> dava scosse, d'attorno volitavano
> farfalle minutissime...
> ...
> ... e il fiume ingordo s'insabbiava.

La rana, prima a ritentar la corda:

> tardo ai fiori
> ronzio di coleotteri che suggono
> ancora linfe, ultimi suoni, avara vita
> della campagna. Con un soffio
> l'ora s'estingue;

La canna che dispiuma:

> la rédola nel fosso, su la nera
> correntia sorvolata di libellule,

Costa San Giorgio:

> e l'ombra attorno
> sfarfalla, e poi ricade
> ...
> un gelo
> fosforico d'insetti nei cunicoli,

Estate:

> la cavolaia folle ...
> ...
> Occorrono troppe vite per farne una.

Le aggiunte, del tipo "la vita è questo scialo / di triti fatti", che abbiamo "prelevato" dal seguito della più parte di questi testi, mostrano che l'alternare di nascita e morte, qual è riassunto nell'andirivieni degl'insetti, ha per il poeta, ed è un suo tratto peculiare, un saldo negativo. Anche dove mancano dichiarazioni per così dire programmatiche, ecco "il fiume *ingordo*" e la "*nera* correntia". Un po' più riposta è l'osservazione che gl'improbabili fuchi di *Flussi* fanno dell'estate uno sterile affaccendarsi, e che, nei due versi di *Stanze* citati, le visioni delle "larve" e delle "fanciullette" si oppongono ("e fu chi vide ... ed altri scorse...") ma sono anche mediate (in peggio) dagli "sciami". Per la via di questo saldo negativo, di questo, se ci si perdona l'ossimoro, "prosperare deficitario" della vita, raggiungiamo quell'incertezza tra la monotonia della vita e la monotonia meccanica, di cui un testo canonico può essere il primo *Mottetto*:

> Paese di ferrame e alberature
> ...
> Un ronzio lungo viene dall'aperto,
> strazia com'unghia ai vetri.

Poiché, per riassumere il risultato di questa rassegna, la vita non basta a se stessa, occorre alla sua conservazione l'intervento di una volontà, di un uccello che *vola*, come in *Lindau*:

> La rondine vi porta
> fili d'erba, non vuole che la vita passi.
> Ma tra gli argini, a notte, l'acqua morta
> logora i sassi.

La vitalità elementare finisce così per continuità nel logorio dell'inanimato. E qui, ma solo qui alla fine di questa ricognizione, possiamo magari collocare le élitre-aeroplani. L'analisi dei due versi riprenderà al prossimo capitolo.

2
SU UNA LETTERA NON SCRITTA

Riprendiamo i vv. 9-10 de *Gli orecchini*:

> Ronzano élitre fuori, ronza il folle
> mortorio e sa che due vite non contano.

Secondo la lettura accreditata, le "élitre" starebbero, come abbiamo visto, per le macchine della guerra, gli aeroplani in specie, e il "mortorio" per la strage indifferenziata prodotta dalle medesime, di fronte alla quale due persone, due fra le tante, "non contano". La lontananza, aggiungiamo, le esporrebbe tanto più alle minacce dei tempi, per la mancanza della protezione reciproca. Abbiamo avanzato l'idea che le élitre siano proprio d'insetti, creature alternative agli uccelli, il cui ronzio si avverte quando i "voli" sono scomparsi. Il "mortorio" (nenia funebre) è allora il ronzio stesso che sorvola i frammenti dell'esistenza, dai quali scaturisce nuova esistenza al livello minimo d'organizzazione. Tuttavia neanche questa interpretazione riesce a un significato pieno, finché non si dia un senso altrettanto pieno alla terza frase: "e sa che due vite non contano". Certo è che alla guerra e alle sue macchine tale sapere non è tradizionalmente attribuito, essendo piuttosto qualificate di "cieche", "insensate" ecc. Così non si evita, neppure con la "pointe" della distanza, il sospetto o che la guerra sia troppo remota per avere rilevanza nella poesia, o che al contrario sia troppo importante perché il contenuto degli altri dodici versi non appaia frivolo. In un modo o nell'altro sembra difficile sfuggire al giudizio dell'Avalle, di "scarso rendimento poetico".

Tuttavia lo scarso rendimento può essere dovuto o alla povertà di contenuto, che fa dei due versi una zeppa, o al fatto che il contenuto va integrato cercandolo al di fuori di questa poesia, in un testo diversamente centrato, e probabilmente non facile da individuare. Per cui questo contenuto o secondo testo formano una sorta di inserto laterale nella poesia in discussione: un caso non infrequente nella poesia di Montale, dal "sangue del drago" di *Barche sulla Marna*, all'epifania lunare di *Palio*, per non dire dei sette famosi versi di *Notizie dall'Amiata*: "Ritorna domani più forte, vento del nord...", il cui *testo* completo non è mai enunciato da nessuna parte. Cominciamo con uno spostamento d'accento: quello che il "mortorio", il ciclo elementare della morte e della vita, "sa" (è il sapere sapienziale, che si attribuisce alle forze della natura) è che *due* vite, in quanto due e non di più, "non contano", rientrando nel ciclo indifferenziato senza aver lasciato un segno, un "solco" (per servirci di una parola cara al poeta) che vi si distingua. E il testo di questo inserimento laterale c'è, di qualche mese precedente, è *Su una lettera non scritta*:

> Per un formicolio d'albe, per pochi
> fili su cui s'impigli
> il fiocco della vita e s'incollani
> in mesi e in anni, oggi i delfini a coppie
> capriolano coi figli?

Il poeta annota fra l'altro[1]: "Non ci vedo oscurità ... Formicolio ecc. Tutte immagini realistiche di una vita ridotta a rare apparizioni..." Per quant'io so, la critica ha rispettato questa reticenza, evitando di chiedersi in che cosa consistano le "rare apparizioni"; e se nella poesia il poeta ha parlato di se stesso, di dolore e passione, essa, secondando il suo "pratico" desiderio di privatezza, si è limitata a registrare i fatti della vita come alti e bassi, appagamenti e frustrazioni, se non a constatare che la vita è fatta appunto di alti e bassi... Eppure il testo è chiaro: poche o molte, comunque disgiunte e sporadiche occasioni ("formicolio") bastano perché il "fiocco della vita" non finisca appunto vanamente sfioccato, ma impigliandosi ai "fili", agli inviti che si offrono giorno per giorno, formi una collana, una continuità di "mesi ed anni", di anni che si seguono con la facilità, forse anche con la rapidità, dei giorni e delle ore. Il contenuto, o meglio il risultato, di questa continuità è il gioco in cui i delfini (particolare *non* "realistico") si esibiscono "a coppie ... coi figli". Non deve sfuggire l'opposizione fra una consuetudine che può per-

[1] BC, p. 940.

mettersi di cominciare nel modo meno pianificato, e l'esito stabile e continuo che non è stato raggiunto e si sarebbe potuto raggiungere in modo non meno facile e spontaneo. (Si suppone che la domanda "per un formicolìo d'albe ..." voglia una risposta positiva, che qui si è cercato di spiegare; una risposta negativa, che cioè quella vita edonisticamente disorganizzata non lascia sperare continuità e futuro, sposterebbe su di sè il fulcro della poesia, che è invece l'assenza di lei.) Continua la seconda metà della strofa:

Oh ch'io non oda
nulla di te, ch'io fugga dal baleno
dei tuoi cigli. Ben altro è sulla terra.

Parafrasiamo: se questo futuro non è dato, è meglio "ch'io non oda": chieda di te o pensi a te: lo scordare attivo è espresso come passività; e che fugga anche il ricordo della tua seduzione. Il "bagliore / dei tuoi cigli" riprende chiaramente i "lunghissimi cigli" di *Lungomare*, che, abbiamo già incontrati, come il "sorcio" che tonfa dalla palma ed è, come vedremo meglio in seguito, l'incarnazione animale di un sussulto di sensualità. La seduzione respinta nelle altre poesie del ciclo per la sua inautenticità, lo è qui per la sua vanità, perché non produce nulla di tutto l'"altro" che è "sulla terra". E questo "Ben altro" potrebbe essere la guerra, e anche così la *Lettera non scritta* si presterebbe a fare da inserto laterale de *Gli orecchini*; ma in questo contesto non può essere che quello che si mostra nel mare, la vita come continuità e futuro (e conseguenze demografiche), quello che era pur facile essere insieme.

La seconda strofa esce completamente dal giro di pensieri de *Gli orecchini*:

Sparir non so nè riaffacciarmi; tarda
la fucina vermiglia
della notte, la sera si fa lunga,
la preghiera è supplizio e non ancora
tra le rocce che sorgono t'è giunta
la bottiglia dal mare. L'onda, vuota,
si rompe sulla punta, a Finisterre.

La sera "si fa lunga" in vista della notte, della "fucina vermiglia", quando il soggetto si sarà ritirato per tornare forse l'indomani a chiedersi ancora se "sparire o riaffacciarsi". Ma la notte, che sospende l'"interrogazione al destino", la *Schicksalfrage*, se mi si passa il wagnerismo, non è di obliosa immersione nella tenebra. Si possono portare a raffronto della "fucina" le "cataste brucianti", il muro di fuoco de *Il tuo volo*, e in modo più aderente, gl'"incubi che non possono / ritrovare la luce dei tuoi occhi nell'antro / incandescente" di *Giorno e notte*, l'afa ("la notte afosa / sulla piazzola": notazione non solo climatica) e il calore (interno) di cui non si deve dar conto a nessuno: anche la piena dei sensi di *Nel sonno*. Ma il testo decisivo è in *Nubi color magenta*: "Come Pafnuzio nel deserto ... morire, / vivere è un punto solo, un groppo tinto / del tuo colore, caldo del respiro / della caverna ..." Pafnuzio è il protagonista della *Thaïs* di Anatole France, l'eremita che salva l'anima della danzatrice, ma se ne accende senza rimedio. Si risale, come è noto, a un dramma di Roswitha e alla *Tentation de Saint Antoine* di Flaubert, ma il complesso notte-ardore-caverna è pressoché archetipico: alla mostra del Magnasco ancora aperta a Milano mentre scrivo (maggio 1996) figura una *Tentazione di S. Antonio* di Sebastiano Ricci: il santo è nella sua caverna, da un angolo della quale si affaccia una parvenza di fuoco: la "fucina", appunto. Nell'attesa della liberazione e irresponsabilità finale della fantasia notturna, "la preghiera è supplizio", sia perché dovuta e vana ad un tempo, sia perché ritarda il tempo della "fucina vermiglia" con la quale divide la vita del soggetto.

Il "riaffacciar*si*" rimanda ovviamente al *Balcone* (dove però il termine tecnico è "sporgersi") e di fatto si conclude ed esaurisce nella *Lettera* un nodo tematico che nasce e si sviluppa negli *Ossi di seppia* ed ha alcune fondamentali riprese nelle *Occasioni*. Può darsi che se ne debba scorgere una reincarnazione nel motivo dello scendere dall'alto, come in *Lasciando un "Dove"*, *Sulla colonna più alta* e soprattutto in *Luce d'inverno*: in un certo senso un nuovo compito e interesse riempie il vuoto della tematica più antica, ereditandone in parte il valore etico e l'atteggiamento. Il poeta è al cospetto del mare, sulla "proda" o in alto sul declivio d'un greppo o sugli scogli, così già in *Meriggiare pallido e assorto*:

> Osservare tra frondi il palpitare
> lontano di scaglie di mare.

Quello che importa sono le coordinate esistenziali dell'"essere in vista" di qualcosa di "altro": estraneo, soverchiante, il mare, o di lontano e irraggiungibile come in uno dei *Mottetti*:

> Il fiore che ripete
> sull'orlo del burrato
> non ti scordar di me ...

L'atteggiamento giunge alla piena, e forse troppo programmatica, simbolizzazione in *Mediterraneo*, e contiene difatti, come abbiamo anticipato, un'"interrogazione al destino": così risulta dalla sesta poesia del ciclo[2]:

> Noi non sappiamo quale sortiremo
> domani, oscuro o lieto,

e dalla settima[3]:

> Avrei voluto sentirmi ...
> ...
> scheggia fuori del tempo, testimone
> di una volontà fredda che non passa.

Alla volontà del mare, o al mare come volontà, non si perviene naturalmente per la via razionale dei lucidi propositi o comunque delle decisioni spirituali, benché egli ne desti l'esigenza nell'anima del poeta. Anzi il mare, e non solo in tempesta, è "delirante", come in *Riviere*:

> bastano pochi stocchi d'erbaspada
> penduli da un ciglione
> sul delirio del mare.

e spesso in *Mediterraneo*: p.51 "ribollio dell'acque", p. 53 "tuo tripudio", p. 54 "subbuglio", "il flutto in sua furia incomposta", p. 57 "il tuo delirio sale agli astri ormai". Ma in questo elemento delirante nasce la "disciplina" del mare: p. 52 "solenne avvertimento / del tuo

[2] BC, p. 56. I nove pezzi di *Mediterraneo*, che non hanno titolo, si citano comodamente per mezzo del numero di pagina, da 51 a 59, nell'edizione critica.
[3] BC, p. 57.

respiro", p. 54 "dal tuo disfrenamento / si afferma, chi ti guardi, una legge severa". L'ammonimento invita, per così dire, ad affidarsi all'azione del mare, fino a diventare (p. 57):

> ... scabro ed essenziale
> siccome i ciottoli che tu volvi,
> mangiati dalla salsedine,

che è però un'idea impropria perché al contrario il ciottolo dovrebbe diventar liscio e tendenzialmente sferico, e l'immagine non tiene meglio in *Falsetto*, che è pure del 1924:

> noi ti pensiamo come un'alga, un ciottolo,
> come un'equorea creatura
> che la salsedine non intacca
> ma torna al lito più pura.

Forse l'idea è quella di spogliarsi di una certa levigatezza colta, di tornare ad essere più "primitivamente" scabro, e difatti il "ciottolo" "puro" di Esterina non è intaccato dal contatto del mare. Finalmente invita a escludere da sè le scorie della vita (p. 52):

> come tu fai che sbatti sulla sponda
> tra sugheri alghe asterie
> le inutili macerie del tuo abisso.

L'interrogazione al mare o al cospetto del mare non rimane senza risposta. Intanto c'è chi, come il mare (ideologicamente) o tipicamente gli uccelli (nel paesaggio vissuto) mostra di aver fatto la sua scelta, o piuttosto di non aver bisogno di farla, in quanto gli è connaturata: il mare ("la volontà fredda che non passa"), o gli uccelli nella prima poesia della serie (p. 51):

> A vortice s'abbatte
> sul mio capo reclino
> un suono d'agri lazzi.
> ...
> Come rialzo il viso, ecco cessare
> i ragli sul mio capo, e via scoccare
> verso le strepeanti acque,
> frecciate bianco azzurre, due ghiandaie.

e nella terza (p. 53) dove si distinguono bene i due momenti, d'interrogazione:

> Scendendo qualche volta
> gli aridi greppi ...
> ...
> Chinavo tra le petraie,
> giungevano buffi salmastri
> al cuore ...

e di risposta:

> Con questa gioia precipita
> dal chiuso vallotto alla spiaggia
> la spersa pavoncella.

Più sovente la risposta, è nel vedere che altri hanno già preso il mare, un'apparizione dapprima favolosa, da Olandese volante, come in *Fuscello teso dal muro*:

> Laggiù,
> dove la piana si scopre
> del mare, un tre alberi carico
> di ciurma e di preda reclina
> il bordo a uno spiro, e via scivola.
> *Chi è in alto e si affaccia* s'avvede
> che brilla la tolda e il timone
> nell'acqua non scava una traccia.

In corsivo (nostro) le parole che accennano al destinatario della risposta. I primi versi della seconda parte:

> Ma tu non adombri stamane
> più il tuo sostegno ed un velo
> che nella notte hai strappato
> a un'orda invisibile pende
> dalla tua cima e risplende
> ai primi raggi,

dove si conviene di riconosce una ragnatela, non sono più oscuri di *Cave d'autunno*, che non è poco misteriosa: "varcherà il cielo lontano / la ciurma che ci saccheggia"; e la "ciurma" di cui è carico il veliero è quasi un sinonimo dell'"orda invisibile". Se all'"orda" si applica, retrospettivamente però, l'interpretazione della "ciurma luminosa" come popolo dei sogni, il tema della partenza si arricchisce di un pregevole tratto onirico.

Ne *Il muro graffito* il luogo dell'attesa e dell'avvistamento è di poco spostato:

> Rivedrò domani le banchine
> e la muraglia e l'usata strada.
> Nel futuro che s'apre le mattine
> sono ancorate come barche in rada.

Nell'*Agave sullo scoglio*, la forzata interrogazione a cui l'immobilità costringe, in *Scirocco*, la pianta-soggetto:

> l'agave che s'abbarbica al crepaccio
> dello scoglio
> e sfugge al mare dalle braccia d'alghe
> che spalanca ampie gole e abbranca rocce,

(ma è da notare che al "tormento" dell'agave immobile risponde un mare caos, "con braccia d'alghe", materiale deietto), ha la sua risposta nell'ultima strofa di *Maestrale*:

> sotto l'azzurro fitto
> del cielo qualche uccello di mare se ne va;
> nè sosta mai; perché tutte le immagini portano scritto:
> "più in là!".

E all'agave di *Scirocco* accostiamo gli "stocchi ... penduli" di *Riviere* già citato, a cui risponde il presagio ("un riapparir di sogni, un urger folle / di voci verso un esito") degli ultimi versi.

C'è un'età in cui la partenza, il viaggio è una visione troppo consueta per porle questioni, ricordiamo le "nubi ... le belle sorelle che si guardano viaggiare di *Fine dell'infanzia*, e *Clivo*:

> Con le barche dell'alba
> spiega la luce le sue grandi vele
> e trova stanza in cuore la speranza,

dove l'esperienza dell'infanzia è trascritta nella parabola della giornata.

Seguendo l'ordine del libro, l'ultima parte ci offre alcuni grandi testi. La quinta strofa di *Crisalide* è costruita sull'iterazione di questi motivi: dapprima un'interrogazione, ridotta al minimo dell'atteggiamento, e una risposta subito qualificata come illusoria:

> E il flutto che si scorge oltre la siepe
> come ci parla a volte di salvezza;
> come può sorgere agile
> l'illusione, e sciogliere i suoi fumi.

Ma ecco che il mare è popolato, e "all'orizzonte" si profila la sua risposta:

> Vanno a spire sul mare, ora si fondono
> sull'orizzonte in forma di goletta,

ed anzi sembra che la fantomatica flotta prenda l'iniziativa:

> Nel meriggio afoso
> spunta la barca di salvezza, è giunta:
> vedila che sciaborda tra le secche,
> esprime un suo burchiello che si volge
> al docile frangente – e là ci attende.

È il mare stesso a cancellare l'invito non raccolto:

> Nell'onda e nell'azzurro non è scia.
> Sono mutati i segni della proda
> dianzi raccolta come un dolce grembo.

In *Incontro* la tematica non fornisce neppure, come in *Crisalide*, un episodio, ma soltanto un avvio: il luogo dell'interrogazione è appena percepibile: "nella strada / che urta il vento forano"; la risposta chiude la prima strofa:

> sospinta dalla rada
> dove l'ultime voci il giorno esala
> viaggia una nebbia, alta si flette un'ala
> di cormorano.

È centrale invece in *Casa sul mare* e, sulla scorta di questa, in *Delta*: lo schema è complicato e variato (naturalmente questa è la novità di queste poesie) dalla presenza di un'altra persona per la quale vale una risposta, che è poi la sola risposta possibile, che per il soggetto non vale. L'inizio di *Casa sul mare* è anzi un'interrogazione a prima vista senza risposta:

> Il viaggio finisce qui.
> ...
> Il viaggio finisce a questa spiaggia
> che tentano gli assidui e lenti flussi.
> Nulla disvela se non pigri fumi
> la marina che tramano di conche
> i soffi leni;

d'altronde la marina, benché occultata dai "pigri fumi" che abbiamo già notati, sotto forma di "nebbie", in *Incontro* e che ritroveremo in *Delta*, è ben visibile nella rapida descrizione. La compresenza, un po' curiosa, delle viste diverse corrisponde alla risposta rinunciata o avverata da parte del poeta o dell'altra persona, alla quale è attribuito un volere che il poeta non si riconosce. Nel passo seguente il "volere" occorre tre volte, e il poeta è soggetto solo del condizionale d'apertura:

> *Vorrei* dirti di no, che ti s'appressa
> l'ora che passerai di là dal tempo;
> forse solo chi *vuole* s'infinita,
> e questo tu potrai, chissà, non io.
> Penso che per i più non sia salvezza,
> ma taluno sovverta ogni disegno,
> passi il varco, qual *volle* si ritrovi.

Corsivi nostri. Il passare "il varco", il darsi risposta nel passare all'azione è anche lo sparire dell'altra agli occhi del soggetto e dei "più", nei famosi versi della chiusa:

> Il cammino finisce a queste prode
> che rode la marea con moto alterno.
> Il tuo cuore vicino che non m'ode
> salpa già forse per l'eterno.

Ma nel rodere della marea bisogna avvertire anche la distruzione del luogo ormai inutile dell'interrogazione.

Delta, pubblicata un anno dopo *Casa sul mare*, appartiene per le prime due strofe al complesso vitale che tratteremo al prossimo paragrafo; tuttavia la seconda realizza come una svolta, perché la corrente (la "vicenda") che si "accorda" all'ingorgo del tempo, "affiora" spiritualmente come "memoria", e si confronta ai colori smaglianti del "dopopioggia": "il verde ai rami, ai muri il cinabrese". Non so se il "messaggio muto" della terza strofa non sia questa stessa memoria, perché altri segni non ne compaiono, ma solo un dubbio senza risposta:

> se forma esisti o ubbia nella fumea
> d'un sogno t'alimenta
> la riviera che infetta, torba, e scroscia
> incontro alla marea:

"forma" spirituale o fantasma di un sogno febbrile, di un delirio dei sensi nel luogo stesso della possibile interrogazione. In un certo senso la risposta arriva, se non altro come clausola limitativa:

> Nulla di te nel vacillar dell'ore
> bige o squarciate da un lampo di solfo
> fuori che il fischio del rimorchiatore
> che dalla bruma approda la golfo.

Si direbbe che il segnale sia solo acustico, mentre alla vista, cui sono diretti tutti i messaggi di questa linea, non rimangono che le "ore bige" e la "bruma", squarciata soltanto dal segnale pesantemente fisico del "lampo di solfo".

Per *Arsenio*, abbiamo il commento del Bonora[4]: "Ad Arsenio il richiamo viene dal sommovimento delle onde, da quella specie di sfida che la "tromba di piombo ... salso nembo vorticante" lancia verso il cielo, là dove, all'orizzonte, i due elementi mare e cielo s'incontrano. Attratto da quello scatenarsi di natura Arsenio dovrebbe vincere la propria incertezza, dare ai propri atti il significato di una scelta precisa". Attenuando questo già poco di titanismo, diremmo che Arsenio ha ragione di diffidare della tromba marina che non è,

[4] ETTORE BONORA, *Lettura di Montale. 1. Ossi di seppia,* Tirrenia Editrice, 1980, p. 196.

come una nave in panna, ferma sull'orizzonte, ma è "alta sui gorghi, / più d'essi vagabonda."

Le occasioni non ci offrono molto per la nostra tematica, e la situazione più che il problema è per lo più associata a figure femminili per le quali la partenza è già in atto, o sta almeno per compiersi. Così in *Dora Markus I*:

> Con un segno
> della mano additavi all'altra sponda
> invisibile la tua patria vera,

e più sotto il viaggiare imprevedibile e avventuroso:

> La tua inquietudine mi fa pensare
> agli uccelli di passo che urtano ai fari
> nelle sere tempestose.

Dopo *Il balcone*, gli ultimi versi di *Sotto la pioggia* ci dànno uno splendido esempio di risposta, di scelta libera e personale:

> Seguo i lucidi strosci e in fondo, a nembi,
> il fumo strascicato d'una nave.
> Si punteggia uno squarcio...
> Per te intendo
> ciò che osa la cicogna quando alzato
> il volo dalla cuspide nebbiosa
> rèmiga verso la Città del Capo.

Possiamo scorgere una tipica risposta nei primi tre versi e il momento della scelta, della volontà, del coraggio negli altri. Forse la Città del Capo è una destinazione troppo remota anche per una cicogna, ma qui è implicata una città, e una vita, completamente diversa. E si noti il Capo (col senno di poi, anche Finisterre) come, di nuovo, luogo d'interrogazione. La quale esplicitamente non compare, se non forse nei versi "mi rimane il sobbalzo che riporta / al tuo sentiero" dobbiamo leggere un tentativo spasmodico di portarsi in pari coll'altra persona, situandosi nel punto onde si leva il suo volo.

Abbiamo già notato un'affinità fra la *Lettera non scritta* e *Il balcone*, che non è per questo d'immediata spiegazione. Lo "sporgersi" dal "balcone" è una prima interrogazione alla vita, se non al destino, che risponde coi suoi "barlumi", e solo la donna è capace di "scorgerli". Ma anche il protendersi del soggetto sull'"arduo nulla" (l'aggettivo si adatta a un promontorio che si addentri molto nel mare, a un Finisterre) è un interrogare, per quanto non si preveda risposta, e forse è proprio la posizione rischiosa che ottunde "L'ansia di attenderti vivo", che infatti "si spunta". Sembra che la poesia (del 1933) sia rivolta ad Annetta, il che si accorda col "certo tuo fuoco" se s'intende "certo" non nel senso dell'intelletto, ma dei sentimenti. La "facile" accettazione di una svolta del destino ("giuoco" come "giuoco del futuro" ne *In limine*) lascia il soggetto privo di aspettative, fra gli strascichi dei pensieri: "ogni ... tardo motivo". La risposta potrebbe essergli mediata da lei, consistere nel sapere ch'ella si affaccia, ma la finestra "non s'illumina", come se rifiutasse o non fosse più in grado di segnalare la sua presenza.

Il balcone si ricopre in buona misura con *La casa dei doganieri* (1930), di cui costituisce una versione "mentale" e distanziata; questa da parte sua riprende *Casa sul mare*. Il poeta autocommenta[5]: "La fanciulla in questione ... andò... verso la morte. Io restai e resto ancora. Non so chi abbia fatto una scelta migliore. Ma verosimilemente non vi fu scelta." Il commento piega a un ricordo goethiano le ultime parole: "Ed io non so chi va e chi resta", cfr. *An Werther* (nella *Trilogie der Leidenschaft*):

> Zum Bleiben *ich*, zum Scheiden *du* erkoren,
> Gingst du voran – und hast nicht viel verloren.

(La riflessione non richiede sempre un oggetto importante a cui applicarsi: ecco dal *Quaderno di quattro anni* la chiusa di *Scomparsa delle strigi* (1976): "Noi l'abbiamo scampata / se con vantaggio o no è da vedere"; si tratta di un civettino perito implume.) Ritorniamo alla chiusa della *Casa dei doganieri*, dove il complesso interrogazione:

> Oh l'orizzonte in fuga, dove s'accende
> rara la luce della petroliera!
> Il varco è qui? (Ripullula il frangente
> ancora sulla balza che scoscende),

[5] BC, p. 917.

ha questo di peculiare, che l'emblema (la "rara ... petroliera") della risposta precede l'interrogazione, distinta questa volta dal punto interrogativo: una risposta che nessuno raccoglie (la petroliera come il "rimorchiatore" di *Delta*) a una domanda da cui è scomparsa la scelta vitale: nel frattempo continua l'erosione del luogo ("Ripullula il frangente") come in *Casa sul mare*. Allo stesso modo in *Su una lettera non scritta*, dove il mancato arrivo della "bottiglia dal mare", gettata dal soggetto per sollecitare una risposta (e naturalmente non gettata per la sfiducia di essa), precede la constatazione che "l'onda, vuota, / si rompe sulla punta, a Finisterre", nel luogo, sia esso in Bretagna o in Galizia[6], più proteso verso l'America, che è al tempo stesso una sorta di isola deserta e scogliera di naufragio.

Una preziosa e imprevedibile ripresa di questa struttura fantastica è l'attacco di *Proda di Versilia*, datata Viareggio 1946. La poesia non parla della Versilia – da Bocca di Magra alla foce del Serchio – ma della Liguria dell'infanzia, ed è vero che un analogo trasferimento di luogo si ha già ne *Il ritorno*. Ma dalla Versilia il poeta contempla la sua terra, e vi scorge il convenire sempre più rado dei morti invitativi dal suo ricordo:

> ed oggi
> più di rado discendono dagli orizzonti aperti
> quando una mischia d'acque e di cielo schiude
> finestre ai raggi della sera, – sempre
> più raro, astore celestiale, un cutter
> bianco-alato li posa sulla rena.

Così la Versilia è veramente una "proda", un punto di partenza per un viaggio sicuro del suo approdo, perché il "cutter biancoalato" è ovviamente la versione aggiornata del "vasello snelletto e leggiero" (*Purgatorio*, II, v.41) ed anche la "barca di salvezza" di *Crisalide*, che tocca il termine della sua crociera. La trama di que-

[6] Si vorrebbe optare per la Galizia, se Montale avesse raccolto il «Finisterre» da una poesia di Antonio Machado del 1937, *De mar a mar entre los dos la guerra*, dove il poeta spagnolo misura la distanza che lo separa dalla donna amata:

> En mi parterre
> miro a la mar que el horizonte cierra.
> Tú asomada, Guiomar a un finisterre
> miras hacia otra mar, la mar de España.

sta struttura è visibile anche ne *Il ritorno*, dove la barca approda a stento per un futuro non felice. Naturalmente il "cutter" è il ricordo che il poeta ha dei suoi morti, e se è "sempre / più raro" vuol dire che ai morti si pensa di meno, che la memoria "si sfolla". In *Voce giunta con le folaghe*, la minore attività della memoria sarà razionalizzata con la richiesta che i morti stessi diradino le loro visite:

> e pur son giunta con le folaghe
> a distaccarti dalla tua [proda]. Memoria
> non è peccato finché giova. Dopo
> è letargo di talpe ...

C'è ancora uno strascico di due "prode" mascherate. Nella terza strofa della seconda parte di *Iride*, di cui mostreremo il legame con *Il ritorno*, leggiamo:

> Ma se ritorni non sei tu, è mutata
> la tua storia terrena, non attendi
> al traghetto la prua.

La "prua" può essere sineddoche per la barca, che si accosta al traghetto proprio con quella parte; ma il "traghetto" *è* una proda, e quanto del suo carico connotativo non trova posto nel domestico "traghetto" (e meno ancora nel "burchio" un po' spregiativo, usato pochi versi sopra) si trasferisce sulla prua. Un'altra occorrenza, di cui questa è forse la premessa, è in *Piccolo testamento*:

> e un ombroso Lucifero scenderà su una *prora*
> del Tamigi ...

La "prora" sembra alquanto impropria; ne *L'ombra della magnolia* si parla invece delle "fredde / banchine del tuo fiume", cioè le rive, perché dietro alle "banchine" c'è l'inglese *banks*. Forse la "prora" è una "proda", un luogo di partenza, e forse "é l'ora" proprio di prendere il largo.

3
STORIA NATURALE

La tensione spirituale degli *Ossi di seppia*, di cui è gran parte la dialettica del destino che abbiamo studiata fin qua, è chiaramente contrastata, come sarà già risultato dall'indagine sugli insetti, da una – dialettica non è il termine proprio – diciamo storia naturale, che dalla materia in quanto sostanza di vita elementare, ci porta ai simboli della vita come corporeità, circolazione del sangue, accensione dei sensi. Naturalmente questo processo non è concluso in *Ossi di seppia*, anzi al suo livello più elementare sarà l'oggetto di una poesia tarda, *Tra chiaro e oscuro*, contenuta nel *Diario del '72*:

> Ma è allora
> che cominciano i grandi rovesciamenti,
> la furiosa passione per il tangibile,
> non quello elefantiaco, mostruoso
> che nessuna mano può chiudere in sè,
> ma la minugia, il fuscello che neppure
> il più ostinato bricoleur può scorgere ...

L'improprietà lessicale – ci si aspetterebbe piuttosto minutaglia – ha un suo valore: il mondo come serbatoio di materiale di riutilizzo (il "bricoleur") ha il suo principio nel vissuto organico, "polvere di vita", com'è detto nell'ultimo verso. Accostiamo questa storia naturale raccordandoci alla dialettica del destino, cercando la testata comune delle due correnti: in qualche momento è oggetto di rinuncia il destino, come in *Portovenere*:

> Quivi sei alle origini
> e decidere è stolto:
> ripartirai più tardi
> per assumere un volto

o l'agognato prendere il largo, come nell'*Epigramma* a Sbarbaro:

> Sbarbaro, estroso fanciullo, piega versicolori
> carte e ne trae navicelle che affida alla fanghiglia
> mobile d'un rigagno; vedile andarsene fuori.

Il "rigagno", la "fanghiglia", il "porticello di sassi" dell'ultimo verso appartengono a un paesaggio comune, ed è solo in quanto è qualificata, inaspettatamente, di "mobile", che la fanghiglia porta fuori le "navicelle": il cauto rientro motiva soltanto gli oggetti della proda. Altrettanto vale per il testo seguente:

> Arremba su la strinata proda
> le navi di cartone, e dormi,
> fanciulletto padrone ...
> ...
> / Nel chiuso dell'ortino svolacchia il gufo
> e i fumacchi dei tetti sono pesi.

Il "volo infagottato dell'uccello notturno" (*Notizie dall'Amiata*) unito ai "fumacchi" rende un momento di ovattata chiusura ("Nel chiuso dell'ortino") e ottundimento della percezione. Ed ecco gli altri elementi del paesaggio che minaccia i progetti lungamente maturati:

> L'attimo che rovina l'opera lenta di mesi
> giunge: ora incrina segreto, ora divelge in un buffo.
> / Viene lo spacco; forse senza strepito.
> Chi ha edificato sente la sua condanna.
> È l'ora che si salva solo la barca in panna.
> Amarra la tua flotta tra le siepi.

C'è in questa poesia, come nell'*Epigramma*, qualcosa di contraddittorio: lo "spacco" così temuto non può essere che, per esempio, "la maglia rotta nella rete / che ci stringe" di *In limine*, e di più è il diretto opposto del "buffo" che segna il fallimento del tentativo di fuga. Come un'ammonizione, forse, a non "balzar fuori" prima del tempo? Certo non è tanto al "fanciulletto padrone" o all'"estroso fanciullo" che essa è diretta, quanto la figura infantile è scusata di sentirsi ancora "alle origini". La motivazione raggiungerà la sua coerenza nello spiegamento della dimensione temporale in *Fine dell'infanzia* e in *Flussi* che commenteremo a suo luogo.

Son rari i momenti in cui questa natura rimane immobile senza essere minacciata di rovina, citiamo *Gloria del disteso mezzogiorno*: "Il sole, in alto – e un secco greto / ... / L'azzurro in giro ...": si direbbe che la chiusa vagamente ottimista: "La buona pioggia è al di là dello squallore .." ne abbia arrestato il fatale sviluppo. Il mondo è tipicamente precario e si disfa da sè o basta un'incrinatura (l'abbiamo già trovata) a provocarne il disfacimento; o piuttosto il mondo sarebbe stabile se l'incrinatura, la vena, questi segni dell'individuazione e della coscienza personale, non ne provocassero il crollo. In quattro poesie degli *Ossi di seppia* (in senso stretto) cogliamo il passaggio dallo sfacelo della natura all'identificazione del soggetto. Bisogna definire meglio: il cielo, la serenità uniforme dove ogni lacerazione è riassorbita, come se non fosse mai esistito altro, è confrontato con una natura minacciata da un crollo che tuttavia apre fessure, "inviti" alla definizione di un solco, che è in fondo limitazione e individuazione della persona. Questo solco appena percettibile può essere travolto nel disfacimento generale, o prendere una sua consistenza.

Non rifugiarti nell'ombra
di quel folto di verzura
come il falchetto che strapiomba
fulmineo nella caldura.

Il *tertium comparationis* di questa similitudine appare stranamente limitato, perché non si può attribuire al "rifugiarsi nell'ombra" la fulmineità del "falchetto", che a sua volta non è probabile che cerchi rifugio anziché librarsi "nella caldura": i due termini del paragone non hanno in comune che lo scomparire. Inoltre il "folto di verzura" non sarà lo stesso che il "canneto / stento" che "È ora di lasciare". Con tutto ciò la situazione è chiara: il canneto "che pare s'addorma" è messo a contrasto con le "forme / della vita che si sgretola". Sono le premesse del movimento che si sviluppa nelle ultime due quartine:

Come quella chiostra di rupi
che sembra sfilacciarsi
in ragnatele di nubi;
tali i nostri animi arsi
/ in cui l'illusione brucia

un fuoco pieno di cenere
si perdono nel sereno
d'una certezza: la luce.

Dalla verzura o canneto che sia, dalla vita indistinta di cui il "falchetto" è il termine opposto – ed è una ragione per la sua esistenza – alla contemplazione delle "rupi" riassorbite dal cielo attraverso l'esistenza intermedia delle "nubi", alla perdita di sè, ché è pure appagato annullarsi: il "fuoco pieno di cenere" è l'"illusione" di un'esistenza personale che lascia dietro di sè una sorta di rammarico. Questo punto è più chiaramente definito nella seconda poesia:

Ciò che di me sapeste
non fu che una scialbatura,
la tonaca che riveste
la nostra umana ventura.
/ Ed era forse oltre il telo
l'azzurro tranquillo;
vietava il limpido cielo
solo un sigillo;

Si passa dalla "scialbatura" al "telo" attraverso l'"intonaco" (implicito, sinonimo di "scialbatura") che diventa "tonaca", ed è un esempio interessante del "metodo" della fantasia montaliana: quindi un uomo "interiore", come coperto dal telo e, al di là di questo suo apparire, "il limpido cielo", vietato soltanto da un "sigillo", che è il segno dell'individuo.

Il fuoco che non si smorza
per me si chiamò: l'ignoranza.

Questa "ignoranza" è piuttosto intrigante. La parola è l'ultima di *Tentava la vostra mano la tastiera*, indirizzata, come probabilmente anche questa, a Paola Nicoli. La "vostra dolce ignoranza" è l'imbarazzo, l'inceppamento nell'esecuzione di un passo difficile; analogamente qui si potrebbe parlare di perplessità, inadeguatezza nell'affrontare una o qualunque situazione: difficoltà di essere, che si alimenta di sè: "il fuoco che non si smorza". Al di sotto di questo apparire la consistenza della persona ("la vera mia sostanza") non è altro che una "scorza": con la quale, chiamata più sotto "ombra", il soggetto si identifica. Ma ora, fattosi certo che l'ombra è labile e rimovibile, potrebbe "offrirla in dono": tutto se stesso per poco che sia, che è un dono, se si vuole, un po' squalificato (ma nessuno ha di meglio da offrire). Abbiamo ancora, all'"altezza" di queste due poesie, da fare con un io rinunciabile.

Una più precisa individuazione è il risultato della poesia seguente:

> Il canneto rispunta i suoi cimelli
> nella serenità che non si ragna.

"Serenità" compatta e senza crepe, ancora insistita nell'"afa stagna" del quarto verso, non solo stagnante ma chiusa e senza perdite. Il momento individuante è dapprima impersonale e agisce sulla natura:

> Sale un'ora d'attesa in cielo, vacua,
> sul mare che s'ingrigia.
> Un albero di nuvole sull'acqua
> cresce, poi crolla come di cinigia.

Conosciamo già questo costruirsi e crollare della nuvola "come di cinigia". Ma l'attesa non è del tutto "vacua", ha se non un nome almeno un genere grammaticale ("lontan*a*"):

> Assente, come manchi in questa plaga
> che ti presente e senza te consuma:
> sei lontana e perciò tutto divaga
> dal suo solco, dirupa, spare in bruma.

L'attesa è una prima identificazione sia del soggetto che dell'oggetto, della persona aspettata, e la risposta negativa ch'essa riceve nell'assenza provoca il disfacimento della persona in quello del paesaggio, di cui era già il presentimento nel crollo dell'"albero di nuvole". Il "divagare dal solco", il "dirupare", lo "sparire in bruma" segnano il progredire di un disfacimento sempre più minuto; ma già nel primo vien meno il soggetto, se anticipiamo il valore di destino che avrà il "solco", di cui registriamo qui la prima occorrenza, in *Stanze*, in *Palio*, ne *L'orto*.

Benché si esprima nei termini della pura natura, *Debole sistro al vento* non segna un ritorno sulla via dell'individuazione:

Dirama dal profondo
in noi la vena
segreta: il nostro mondo
si regge appena.
/ Se tu l'accenni, all'aria
bigia treman corrotte
le vestigia
che il vuoto non inghiotte.

Ma, appunto, l'individuazione appena percettibile e "segreta" (in quanto coperta, suppongo, dalla "scialbatura") ma già più resistente del "sistro al vento" "toccato appena e spento", lascia delle tracce che il "vuoto", s'intenda, non è in grado d'"inghiottire", non che le rifiuti. E notiamo che questo vuoto era, all'inizio della nostra serie, il "cielo", la "certezza", la "serenità": segno di un mutamento di valori, di cui partecipa la "vena segreta", che ritornerà del tutto in positivo nella "rete minuta dei tuoi nervi" di *Stanze*, nel "segno" che "s'innerva / sul muro che s'indora" del *Mottetto*. Gli ultimi due versi offrono una novità:

discende alla sua foce
la vita brulla.

La vita, ormai pienamente individuata e personale, ha trovato il suo solco, e di "brulla" si farà colma d'acqua. Merita ancora, per finire, notare le rime o quasi rime che connotano il disfacimento: "minugia", "cinigia", "vestigia", per limitarci a quelle che scavalcano le singole poesie.

Fuscello teso dal muro, pubblicato in «Solaria» nel dicembre 1926, è probabilmente posteriore alle quattro liriche sopra commentate, e tale risulta anche per l'andamento delle idee. È considerata molto oscura, p. es. da Ettore Bonora[1], non solo nei versi seguenti, che il Bonora non interpreta:

t'è noja infinita la volta
che stacca da te una smarrita
sembianza come di fumo
e grava con l'infinita
sua cupola mai dissolta.

[1] In *Lettura di Montale, 1. Ossi di seppia*, p. 182.

Alla volta del cielo, la "cupola mai dissolta", è ormai attribuito un ruolo del tutto negativo: sotto il suo incombere il fuscello ha solo una "sembianza come di fumo", che è un'ombra tenue e "smarrita", ma anche l'inizio di un "albero di nuvole", del segno dell'individuazione. Ancor meno di questo la sembianza evanescente può incrinare la cupola. Oltre a questa insufficienza ad "affermarsi" contro il cielo, la frustrazione ha una seconda origine nella costrizione al movimento perennemente circolare "che scande la carriera / del sole".

Anche lungo questa linea il mare, l'idea del mare di *Mediterraneo*, è stata per la poesia di Montale un energico reagente, che l'ha costretto, col suo volontarismo ostentato e certo non tenibile fino in fondo, a venire allo scoperto col suo *io* concreto: in particolare il mondo di oggetti che ci occupa esce dal mare, è il caso di dirlo, assai più "scabro ed essenziale" (p. 57). Per lo sguardo rivolto al mare, le "vene" non sono più incrinature della coscienza, ma vengono restituite all'oggettività del paesaggio (p. 51):

> ... al mare là in fondo fa velo
> più che i rami, allo sguardo, l'afa che a tratti erompe
> dal suolo che s'avvena,

segno che la persona si è staccato dall'informe, quello stesso informe, d'altronde, che si lasciava riassorbire nell'uniformità del "limpido cielo", della "luce", del "vuoto". A sua volta la vita ha una direzione, se non un'intenzione, e come il mare ha i suoi scarti di cui liberarsi (p. 54):

> o l'informe rottame
> che gittò fuor del corso la fiumara
> del vivere in un fitto di ramure e di strame.

Nello scendere al mare, nella tensione verso il mare si compie l'individuazione, il riconoscimento di sè (p. 53):

> Scendendo qualche volta
> gli aridi greppi ormai
> divisi dall'umoroso
> Autunno che li gonfiava
> ...

Chinavo tra le petraie,
giungevano buffi salmastri
al cuore ...

L'"umoroso / Autunno" ha "gonfiato" i greppi, imbevutili d'acqua, e vi ha formato dei solchi, delle crepe che li hanno "divisi" e appaiono quando la terra è prosciugata: così almeno intendo; è la formazione del torrente: la tensione del soggetto appartiene anche, o si comunica, alla natura circostante: "... la pietra / voleva strapparsi ...", "la dura materia", "i ciuffi delle avide canne". E infine, per la "rancura" (p. 55) verso il mare padre, la severità delle sue pretese, il movimento contrario, di identificazione con la discesa non intenzionale del paesaggio:

M'affiso nel pietrisco
che verso te digrada
fino alla ripa acclive che ti sovrasta,
franosa, gialla, solcata
da strosce d'acqua piovana.
Mia vita è questo secco pendio,
mezzo non fine, strada aperta a sbocchi
di rigagnoli, lento franamento.

Vorrei che si prestasse attenzione soprattutto al paesaggio e agli oggetti che lo compongono, perché son questi gli elementi che rimangono quando il mare ha esaurito la sua funzione. Le poesie che seguono potebbero tutte essere intitolate, come la prima, *Fine dell'infanzia*; si noteranno, nel rapido esame che segue, i gradi del divenire, che, seguendosi senza mediazione, dànno al lettore un'impressione come di rapsodicità:

Di contro alla foce
di un torrente che straboccava
il flutto ingialliva.
Giravano al largo i grovigli dell'alighe
e i tronchi d'albero alla deriva.
...
So che strade correvano su fossi
incassati, tra garbugli di spini.
...
Rara diroccia qualche bava d'aria.

È il dono della condizione infantile di non dover rispondere di sè: "Norma non v'era, / solco fisso, confronto" (è lo stato felice da cui vorrebbe uscire prematuramente il "fanciulletto padrone"), di ricevere anzi una risposta a una domanda non formulata: "rapido rispondeva / a ogni moto dell'anima un consenso / esterno", di partecipare a un destino da sempre in movimento: "Volava la bella età come i barchetti sul filo / del mare a vele colme". L'infanzia finisce mell'imminenza d'uno sconvolgimento meteorologico:

Pesanti nubi sul torbato mare
che ci bolliva in faccia, tosto apparvero.
Era in aria l'attesa
di un procelloso evento.

Siamo nelle vicinanze di *Mediterraneo*, dove leggiamo (p. 51) "ribollio dell'acque" e soprattutto (p. 57): "e tutti vidi / gli eventi del minuto / come pronti a disgiungersi in un crollo". L'infanzia finisce qui nell'"ora che indaga", e l'indagine è definita a p. 57 (e altrove): "Volli cercare il male / che tarla il mondo, la piccola stortura / d'una leva che arresta / L'ordegno universale". Ma questa sorta di peccato originale che è all'origine del "crollo" è qui solo accennata, la novità è piuttosto la sorpresa e l'inganno con cui l'infanzia termina, tant'è vero che la tempesta è solo presumibile:

Un'alba *dovè* sorgere che un rigo ...

e per finire:

poi nella finta calma
sopra l'acque scavate
dovè mettersi un vento.

(corsivi nostri) La sorpresa è naturalmente quella di esser diversi da un giorno all'altro e la tempesta è il simbolo del mutamento inaspettato. In *Egloga* abbiamo la descrizione canonica del "tempo andato", con un'ontogenesi, vorremmo dire, che ripete la filogenesi: il "suolo screpolato" è ancora la "vena segreta" e l'"aria di troppa quiete" il "limpido cielo" e la "luce" che già conosciamo. Si riproduce l'informe: "riescono bende / leggere fuori", e gli eventi più clamorosi si "schiacciano" senza conseguenze:

È uscito un rombo di treno,
non lunge, ingrossa. Uno sparo
si schiaccia nell'etra vetrino.
Strepita un volo come un acquazzone ...

Non c'è solo la parentela formale ad associare quest'ultimo verso al "volo strepitoso di colombi" di *Stanze*, poesia dell'essere non più di quello che si è, senza solco ma solo per espansione della "rete ... del sangue". In questo sparire senza tracce il ripristino dell'infanzia è facile e immediato: "Tosto potrà rinascere l'idillio".

Flussi è sensibilmente diviso in due quadri, il primo termina:

La vita è questo scialo
di triti fatti, vano
più che crudele.

I "triti fatti" sono i passatempi infantili, il crescere del "roggio / di rampicanti", il "ronzio di fuchi", la "freccia" che "si configge nel palo", e soprattutto il grande spasso dell'infanzia, la "flottiglia / di carta che discende lenta il vallo". Il tempo è infatti lento o quasi immobile:

Cola il pigro sereno nel riale
che l'accidia sorrade,

e il "pigro sereno" è ancora il "limpido cielo". La fine dell'infanzia è segnata, all'inizio del secondo quadro, dal diverso aspetto in cui essa si mostra pur ripetendosi:

Tornano
le tribù dei fanciulli con le fionde
se è scorsa una stagione od un minuto –

una stagione perché si faccia palese il mutamento che non richiede più d'un minuto –

e i morti aspetti scoprono immutati
se pur tutto è diruto
e più dalla sua rama non dipende
il frutto conosciuto.

Non abbiamo più notizia di una tempesta reale o presunta che abbia prodotto il dirupare del tutto. Ora l'acqua per quanto incanalata scorre sotto il "dòmo celestino" che si distende "sul fitto bulicame del fossato":

> E tutto scorre nella gran discesa
> e scorre il fiotto impetuoso tal che
> s'increspano i suoi specchi:
> fanno naufragio i piccoli sciabecchi
> nei gorghi dell'acquiccia insaponata.

È il naufragio dei passatempi infantili nell'acqua della pubertà, chiamata, ben propriamente, "acquiccia insaponata" (l'espressione non sembra del tutto giustificata dal contesto; una tarda motivazione si trova ne *Il bello viene dopo* (ne *La farfalla di Dinard*): qui figura un "botro melmoso" dove "se è piovuto molto, c'è qualche ristagno d'acqua, intorno al quale si affaccendano le lavandaie". Ma alla fine del raccontino, l'"anguilla marinata nel sapone" si presta di nuovo a un'interpretazione "psicoanalitica".). L'impeto e la direzione univoca della corrente del fosso (ricordiamo naturalmente i fossi di *Fine dell'infanzia*, ma il fosso avrà un lungo avvenire) mostrano il vero volto della vita:

> E la vita è crudele più che vana.

Non discende l'acqua in *Clivo*, anzi è esplicita l'aridità del paesaggio ("le volute / aride dei crepacci": più che all'aggettivo si badi alla sostituzione dei "crepacci" ai "solchi"), ma la vita che muta, invecchia propriamente, lungo le ore della giornata. La poesia, se si prescinde dal distico finale, si divide in due parti come *Flussi*, più o meno dall'alba a mezzogiorno, e da questo alla sera.

> Viene un suono di buccine
> dal greppo che scoscende,
> discende verso il mare
> che tremola e si fende per raccoglierlo.

Il "suono" è qualcosa di significativo e libero, che scende per una movimento coerente e spontaneo – e questa è un'importante differenza dallo scorrere necessario dell'acqua: è una domanda a cui il mare e il cielo dànno la risposta fantastica della partenza:

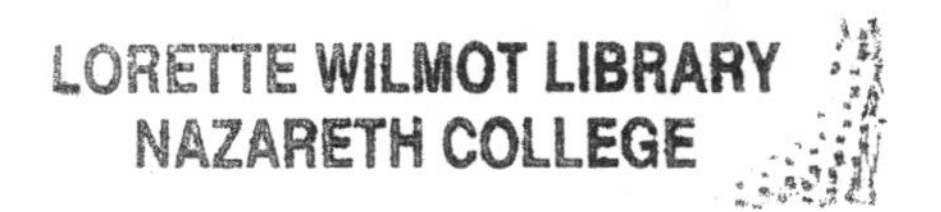

Con le barche dell'alba
spiega la luce le sue grandi vele
e trova stanza in cuore la speranza.

Al colmo della giornata, finora "ben riuscita", si fa sentire l'erosione della necessità:

ora è certa la fine
e s'anche il vento tace
senti la lima che sega
assidua la catena che ci lega.

Ma benché la "fine" sia "certa", non è previsto il momento della "maglia rotta" come già l'inattiva "speranza" segnalava una condizione umana deteriorata. Il pomeriggio è introdotto da un mutamento del suono:

Come una musicale frana
divalla il suono, s'allontana.

Prevale ora l'aridità, il rinnovato stringersi dei legami, tale la prigionia delle viti nei "lacci / delle radici", l'impraticabilità del "clivo" già così agevole a scendere:

Il clivo non ha più vie,
le mani s'afferrano ai rami
dei pini nani,

finché nella sera il mondo delle "cose che non chiedono / ormai che di durare" è tutto

un crollo di pietrame che dal cielo
s'inabissa alle prode,

e il suono è un tragico "ululo di corni".

Riassumiamo la tematica svolta fin qua: l'opposizione fondamentale è fra la permanenza (uniformità, indistinzione) e labilità (dirupamento, crollo): al primo termine appartiene la "gran muraglia" da cui non è dato smuovere "neppure un sasso" (*Crisalide*), la "catena che ci lega", ma anche il cielo, la certezza della luce, tutto ciò che riassorbe e in questa versione positiva rasserena i vani conati; l'altro termine è la "lima che sega", il "balzar fuori", l'atto della libertà, ma è anche l'incrinarsi, il "ragnarsi" del cielo, la spaccatura, il crollo, la polverizzazione, per la quale via ci si riporta all'immobilità del cielo. Nel "male di vivere" vedremo allora l'inadeguatezza dello sforzo di definirsi, di resistere al cielo che non permette sopravvivenza. Per concludere con *Clivo*, l'"ordine" che "discende" a "districare dai confini" le cose, le scioglie dalla reciproca limitazione in cui si determinano, e ricostituisce coi frammenti del "crollo di pietrame" il cielo uguale del mattino. Il mondo va distrutto ogni giorno per essere ricostruito, perciò intenderei "ordine" in senso antico-testamentario, come comando della creazione.

La seconda strofa di *Arsenio* s'intende correttamente se si costruisce l'"anello / di una catena" come apposizione al "tuo viaggio", definito nei primi due versi:

> Discendi all'orizzonte che sovrasta
> una tromba di piombo, alta sui gorghi ...

L'inciampo, l'impedimento a procedere:

> fa che il passo
> su la ghiaia ti scricchioli e t'inciampi
> il viluppo dell'alghe: quell'istante
> è forse, molto atteso, che ti scampi
> dal finire il tuo viaggio,

è paradossalmente il mezzo per sottrarsi all'immobilità ripetitiva dello scendere:

> immoto andare, oh troppo noto
> delirio, Arsenio, d'immobilità.

Si potrebbe intendere che la vitalità stessa, nel suo necessario scendere, scorrere a valle, sia la catena della necessità, ma non mi sembra che il testo richieda tale identificazione, anche se i due momenti hanno questo essenziale tratto in comune: potrebbe anche darsi che il ciclo della necessità usurpi l'energia della vitalità: tanto è forse adombrato nell'"altra orbita".

I fondamentali testi dell'ultima parte degli *Ossi di seppia*, che hanno avuto la loro parte nel discorso della *Schicksalfrage*, entrano con peso non minore in questa linea, in quanto al momento dell'interrogazione e del chiarimento coscienziale (espressione che si adatta bene ad *Arsenio*) si accompagna la percezione, previa o simultanea, della vitalità. L'insufficienza di una rapida rassegna di citazioni è qui più chiara che mai. Il rapporto, centrale in questo tratto del libro e in *Crisalide* di cui stiamo parlando, con la persona che si cela sotto il *voi* (Paola Nicoli, come risulta da una lettera a lei indirizzata che contiene anche una prima stesura di questa poesia[2]), è stabilito in primo luogo attribuendo a lei, quindi rimuovendo da sè, il rinnovamento primaverile: "son *vostre* queste piante / scarse ...", "Ogni attimo *vi* porta nuove fronde", "Lo sguardo ora *vi* cade su le zolle", "al *vostro* cuore" (corsivi nostri): la relazione fra il soggetto e l'altra persona è definita spazialmente, quasi in termini di paesaggio:

> Per me che vi contemplo da quest'ombra
> altro cespo riverdica, e voi siete.

Ma in "quest'ombra", in "questo estremo angolo d'orto", nell'"oscuro mio canto" essa ha più che una rappresentanza, vi è per così dire trapiantata, ed è qui che la linfa affluisce:

> viene a impetuose onde
> la vita a questo estremo angolo d'orto.
> Lo sguardo ora vi cade su le zolle;
> una risacca di memorie giunge
> al vostro cuore e quasi lo sommerge.

Parleremo più oltre dei versi seguenti, e notiamo che quello di cui il soggetto si appropria è la nuova consapevolezza di cui ella è penetrata:

> La mia ricchezza è questo sbattimento
> che vi trapassa e il viso
> in alto vi rivolge; questo lento
> giro d'occhi che ormai sanno vedere,

che è però la condivisa consapevolezza della miseria di sempre:

> M'apparite
> allora, come me, nel limbo squallido

[2] In *Autografi di Montale.* Fondo dell'Università di Pavia a cura di Maria Corti e Maria Antonietta Grignani, Torino, Einaudi, 1976.

delle monche esistenze; e anche la vostra
rinascita è uno sterile segreto.

"Monche esistenze" ha un evidente contenuto spirituale, che è tuttavia il (mancato) risultato di una "rinascita" descritta in termini quasi fisici. Questa radicale solidarietà del fisico col morale è essenziale anche nel passo citato della seconda strofa, dove l'inondazione dell'acqua è seguita dalla "risacca di memorie" che quasi "sommerge" "il vostro cuore". E in termini quasi esclusivamente fisici è espresso l'"avvenimento" che abbiamo rinviato e spiega il fallimento dell'"operazione primavera":

Lunge risuona un grido: ecco precipita
il tempo, spare con risucchi rapidi
tra i sassi, ogni ricordo è spento; ed io
dall'oscuro mio canto mi protendo
a codesto solare avvenimento.

"Spiegare" non è per il momento la parola appropriata (ma si veda più avanti la trattazione riassuntiva), ma cercheremo di circoscrivere il fatto. L'orto è diventato una proda, un luogo sulla riva del mare, e l'onda che l'aveva invaso si ritira, a cominciare dal "morale" ("ecco precipita / il tempo", "ogni ricordo è spento"): ma la "risacca" e i "risucchi" sono, al di là della somiglianza fonica, termini pesantemente fisici. Il "grido" che "Lunge risuona" è un grido efficace, che ha conseguenze, al contrario del "colpo di fucile" di *Mia vita, a te non chiedo linamenti*, o dello "sparo" che "si schiaccia nell'etra vetrino" in *Egloga*. Penso invece all'"ordine" di *Clivo*, al comando che ripristina il mondo, e infatti il mare si riprende quello che è suo, e per il soggetto come per la sua compagna non c'è rinascita possibile.

Gli ultimi tre versi mi fanno qualche difficoltà: Penso allora

al taglio netto che recide, al rogo
morente che s'avviva
d'un arido paletto, e ferve trepido.

Il "taglio netto che recide" va naturalmente con *Mediterraneo*, p. 57: "m'occorreva il coltello che recide, / la mente che decide e si determina", ma qui non è chiara a tutta prima la sua utilità. Non esisteva nella prima stesura, che recitava: "nel rogo della vostra / vita foss'io il paletto / che si getta nel fuoco e cresce l'ilare / fiamma d'attorno!" Ma fra questa e la stesura definitiva s'interpone, sembra, *Casa sul mare*, di cui abbiamo notato il timido "Vorrei" e le due volizioni riservate alla donna. Si direbbe che qui, nel tempo successivo, il soggetto sia giunto alla sua matura volizione, sia sul punto di "decidersi". Aggiungerei che "ferve" non mi sembra appropriato al "rogo" ravvivato, bensì piuttosto a un legno verde messo nel fuoco; per contro il paletto che qui è "arido" non era tale nella prima stesura, ma questa qualifica traduce l'aridità, la sterilità che il soggetto si attribuisce. In definitiva, l'immagine che il soggetto si dà nel paletto è doppia e contradditoria, ed è un legno verde che, con una precisa volontà di autosacrificio, viene reciso e buttato nel "rogo". Devo dire che dalla prima alla seconda stesura l'unicità della destinataria mi sembra passata in pluralità; un complimento come "bell'albero proteso / al crescer della luce" non sarebbe più possibile ed è stato eliminato.

Dobbiamo ancora qualche parola ai primi versi di *Delta*, che toccano infatti a questa linea:

> La vita che si rompe nei travasi
> segreti a te ho legata:
> quella che si dibatte in sè e par quasi
> non ti sappia, presenza soffocata.

Ricordando *Casa sul mare*: "Ti dono anche l'avara mia speranza. / A' nuovi giorni, stanco, non so crescerla", appare naturale intendere "legare" come "lasciare in eredità" qualcosa a chi può servirsene meglio, e al tempo stesso comunicare nel solo modo possibile con una "presenza" assente, "soffocata". Ma la "presenza" è qui la vitalità, "soffocata" come quella del soggetto "si dibatte in sè". Una più ricca comunicazione, una sorta di armonia prestabilita è prospettata nella seconda strofa:

> Quando il tempo s'ingorga alle tue dighe
> la tua vicenda accordi alla sua immensa,
> ed affiori, memoria, più palese
> dall'oscura regione ove scendevi ...;

La sequenza "vita", "tempo", "memoria" è pressapoco quella di *Crisalide*, "vita", "memoria", "tempo", e la memoria è ancor sempre minacciata di essere assorbita, lei per prima, da un'"oscura regione". Se questo non avviene è certamente dovuto al diverso regime delle acque, che qui non sono più libere ma imbrigliate (e infatti "La vita ... si dibatte"), incanalate e trattenute nei "travasi" e dalle "dighe": abbiamo già trovato i "fossi" di *Fine dell'infanzia*, e anticipato i "condotti" di *Nel sonno*. La comunicazione per cui la "vicenda" della "memoria" o del suo contenuto che sarà il *tu* della terza strofa, si "accorda" a quella "immensa" del tempo, appare ora collegare (o "legare") come dei bacini di uguale, alto, livello, e l'"oscura regione" non suggerisce il rifluire dell'acqua al mare, ma piuttosto un inghiottitoio sotterraneo: o è l'inizio del condotto? Ed è certamente perché è indigata, è individuata in un soggetto, che l'acqua, la vitalità "affiora ... più palese", e realizza il rinnovamento:

> come ora, al dopopioggia, si riaddensa
> il verde ai rami, ai muri il cinabrese.

Il collegamento con la terza e quarta strofa non è chiaro, e bisogna forse inserirvi una dialettica dell'assenza, come quelle de *Il canneto rispunta i suoi cimelli*: "Assente, come manchi in questa plaga ..." Dato questo antefatto contingente, è ancora l'acqua nella forma del torrente, qual è la "riviera" che, nell'assenza, s'intorbida e fermenta: "s'infebbra".

Un'altra specie di corso d'acqua compare, in *Incontro*, dopo il momento di volo del "cormorano":

> La foce è allato del torrente, sterile
> d'acque, vivo di pietre e di calcine;
> ma più foce di umani atti consunti,
> d'impallidite vite ...
> ...
> vite no: vegetazioni
> dell'altro mare che sovrasta il flutto.

La "foce" è la foce del torrente, quindi "allato" è avverbio, intendi lungo la "strada che urta / il vento forano", dove il soggetto è situato. Il ritiro del flusso vitale ("sterile" e "vivo" non sono appropriati a un torrente privo di valore simbolico) è rappresentato dapprima come venir meno, prosciugamento e riduzione all'inorganico, alle "pietre" e "calcine"; poi come ritorno all'organicità elementare, le "vegetazioni", le alghe, il "fuscello" impercettibile della poesia da cui abbiamo preso le mosse, diciamo in una parola degradazione. Merita confrontare la "foce" di questa poesia, e il *Delta*, che non è solo la foce del fiume, ma il luogo dove si depone il materiale trasportato della corrente, *dove il fiume vince il mare*. E difatti l'attesa aurorale di partenza e liberazione impallidisce via via che il soggetto, corrente incanalata, si consolida e costruisce.

Il materiale degradato è la premessa, in *Riviere*, della "rifioritura", del ricostituirsi del soggetto a un livello più elementare, al di qua dei dubbi e delle tensioni della coscienza. Inserita a questo punto, è una tematica un po' esaurita, e infatti la poesia è del 1920, quattro anni prima di *Delta*. Così i vari quadri offerti dalla natura, culminanti nello spiegamento di dettagli ormai noti:

> sulla rena
> dei lidi era un risucchio ampio, un uguale
> fremer di vite,
> una febbre del mondo ...

sono in qualche modo presi ad esempio di ciò che ormai non si chiede più di essere:

> Oh allora sballottati
> come l'osso di seppia dalle ondate
> svanire a poco a poco,
> diventare
> un albero rugoso od una pietra
> levigata dal mare ...
> ... sparir carne
> per spicciare sorgente ebbra di sole;

rinascere quindi come pura vitalità. Ma questo ritorno nel vegetale o addirittura nell'indifferenziato sembra espressione piuttosto della volontà "pratica" del voluto che del vissuto profondo.

Ma occorre collocare questa linea in un quadro più ampio, a costo di qualche ripetizione. È ben nota la tematica montaliana della "maglia rotta nella rete" (*In limine*), dell'"anello che non tiene" (*I limoni*), del "miracolo, / il fatto che non era necessario" (*Crisalide*). Questa attesa, per nulla fiduciosa, che l'irregolarità della natura apra un varco al prodigio, ha una formulazione di segno contrario in *Me-*

diterraneo, p. 55: "il male / che tarla il mondo, la piccola stortura / d'una leva che arresta / l'ordegno universale", che però dimostra solo la peculiarità "ideologica" del ciclo, e non si lascia unificare con l'altra e più frequente in una sintesi senza scampo. Su indicazione del poeta stesso, l'idea è stata ricondotta all'influenza di Boutroux, il quale non ha certo inteso fare del mondo una collezione di eventi imprevedibili. Nella sua opera più celebre, *De la contingence des lois de la nature*[3] egli conclude come segue il suo discorso sull'uomo: "Ce serait donc être soumis à une nécessité absolue que d'exister uniquement comme partie du tout ... Or, plus que tous les autres êtres, la personne humaine a une existence propre, est à elle-même son monde ... Il y a plus: il semble que, pour un même individu, la loi se subdivise encore et se résolve en lois de détail propres à chaque phase de la vie psychologique. La loi tend à se rapprocher du fait ... L'individu, devenu, à lui seul, tout le genre auquel s'applique la loi, en est maître." Per il punto d'arrivo di questo più lavoro che processo che abbiamo chiamato individuazione, il Bonora[4] ha ritrovato il termine scolastico di *haecceitas*, che è venuto anche a noi sotto la penna per indicare l'unicità delle singole poesie. Non è necessario aggiungere che nel poeta cercheremo non una logica, ma un'esperienza, un vissuto: essere padrone di sè significa lasciare una traccia unica e permanente nel mondo, incrinarlo, "incidere" il proprio "solco", per usare le espressioni di Montale (in *Palio* e ne *L'orto*), avere delle rive come un corso d'acqua, e colmarle, come il "torrente / che scende al mare e la sua via si scava" (*Vecchi versi*); e in questo è compresa la circolazione del sangue e la maturità anche sessuale (*Flussi* e *Fine dell'infanzia*). È una richiesta di miracolo l'interrogazione al destino, fatta sulla proda del mare che l'esaudisce con le sue imbarcazioni favolose; ed è una vicenda che, come abbiamo visto, lascia in eredità piuttosto il luogo e il gesto che il contenuto della domanda. Ma l'individuazione ha una storia di tentativi ("di lotte" non è il termine) e un percorso che muove da due punti di partenza. Il più ovvio è, come sarà chiamata a lungo con una metafora fissa, la "ruota", la monotonia quotidiana, la circolarità dell'esistenza (*Fuscello teso dal muro*), l'implacabilità degli obblighi

[3] 2a ed., Paris, Alcan, 1895, p. 130.

[4] Ettore Bonora, *La poesia di Montale*, Torino, Tirrenia, 1965, p. 2ª, p. 165; si tratta della "spoglia" di A *mia madre*.

e delle abitudini, "il confine / che a cerchio ci richiude" (*Incontro*). Esiste magari, per indugiare su questa poesia, il "torrente", ma è asciutto, "vivo di pietre e di calcine", e i prigionieri della necessità sociale, gli "incappati di corteo", sono poveri di sangue: "visi emunti, / mani scarne ...". Ma più profonda è la sollecitazione a *non* esistere, a *non* lasciare traccia, a lasciarsi riassorbire dalla splendida natura (con cui la disperazione personale va perfettamente d'accordo), per la quale il poeta mostra spesso quella "rancura / che ogni figliuolo ... ha per la *madre*" (*Mediterraneo*, p. 55, adattamento nostro).

Non si tratta di panismo, come dimostrano i confronti fatti dal Bonora[5] con analoghi luoghi dannunziani. Talvolta si può parlare di regressione, paragonabile alla nostalgia dell'indifferenziato in Gottfried Benn:

> O daß wir unsere Ururahnen wären.
> Ein Klümpchen Schleim in einem warmen Moor.

Questa tendenza regressiva, alla quale il poeta ritornerà nell'arco discendente della sua parabola, ha, come abbiam visto, la sua espressione più vistosa in *Riviere*. Ma più sovente, e proprio nella serie che abbiamo indicata, la natura è essenzialmente colore e luce, e il ritorno ad essa è visione intellettuale; così già in quella frase che abbiamo opportunamente espunto dalla citazione di *Riviere*: "nei colori / fondersi dei tramonti"; in *Portami il girasole ch'io lo trapianti*:

> Tendono alla chiarità le cose oscure,
> si esauriscono i corpi in un fluire
> di tinte: questa in una sola. Svanire
> è dunque la ventura delle venture,

e in modo più preciso nella "serenità che non si ragna", o "in una certezza: la luce", o in *Fine dell'infanzia*: "In lei l'asilo, in lei / l'estatico affisarsi". Ma anche nell'ultimo tratto di *Ossi di seppia* la cancellazione di sè nella natura ritorna nella forma dello smemorarsi; che è allo stato puro il tema di *Marezzo*:

[5] ETTORE BONORA, *Lettura di Montale, 1. Ossi di seppia,* cit., passim.

in questo lume il nostro si fa fioco,
in questa vampa ardono volti e impegni.
...
Forse vedremo l'ora che rasserena
venirci incontro sulla spera ardente.
...
Parli e non riconosci i tuoi accenti.
La memoria ti appare dilavata.

Ed è, con una connotazione decisamente antagonistica, il "solare avvenimento" di *Crisalide*, il riassorbimento, il "risucchio" del tempo, dimensione della biografia, della memoria nella forma dell'acqua: "ecco precipita / il tempo ..."; e con un movimento contrario in *Delta*, l'affiorare della memoria "dall'oscura regione in cui scendev*a*", che è ancora, come abbiamo osservato, un movimento dell'acqua. Sarà forse troppo argomentare se nell'"oscura regione", nell'inghiottitoio sotterraneo, opposto al "solare avvenimento", si vuol vedere un superamento e un inversione di segno dello sparire nella natura, nel buio anziché nella luce.

Questa tematica appare nei primi tempi delle *Occasioni* alquanto diradata e disebriata: forse, conseguita l'individuazione e indigato il fiume, il momento dello sforzo e della conquista ha perso d'attualità. Così in *Vecchi versi* (1926) la finale immersione delle cose nel ricordo ne impedisce per così dire l'interazione e lo sviluppo simbolico: l'inizio, il particolare pertinente de

la costa raccolta, dilavata
dal trascorrere iroso delle spume

ha con gli ultimi versi, col

segno del torrente che discende
ancora al mare e la sua via si scava,

non altra relazione che la memoria che li contiene, e questo è detto in tutte lettere:

e fu per sempre [la farfalla]
con le cose che chiudono in un giro
sicuro come il giorno, e la memoria
in sè le cresce ...

Troviamo una ripresa quasi letterale in *Bassa marea*:

> Viene col soffio della primavera
> un lugubre risucchio
> d'assorbite esistenze ...

Non è il risucchio che assorbe le "esistenze", come in *Crisalide*, è piuttosto quanto è già stato assorbito a essere "risucchiato" in superficie: siamo più dalla parte della "minugia" che del corso d'acqua.

Nelle due poesie che seguono il valore simbolico dell'acqua resterebbe inosservato se non vi fosse associato agli insetti, piccoli, a nugoli, le prime creature della minutaglia da cui l'acqua prende la sua origine tematica. Sono dettagli imprevedibili e tanto più preziosi, ma forse troppo precisi e funzionali per essere gl'innocenti portati della contingenza quotidiana. *Verso Vienna*, pubblicata nel 1939, ha una doppia datazione, 1933 e 1938, ma di una distinta stesura del 1933 non abbiamo nulla. La poesia è costruita su una serie di opposizioni, da una parte una comitiva che si concede una sosta conviviale (a Linz, informa il poeta) e il cui viaggio prosegue oltre un fiume che bisogna attraversare su un ponte, dall'altra un nuotatore solitario, che emerge all'improvviso:

> Emerse un nuotatore, sgrondò sotto
> una nube di moscerini,
> chiese del nostro viaggio,
> parlò a lungo del suo d'oltre confine,

per poi riprendere il suo itinerario in cui sembra tuttavia trasparire di sotto l'acqua:

> Salutò con la mano, sprofondò,
> fu la corrente stessa...

Inoltre questi due versi fanno pensare a una corrente rapida, mentre i primi due versi parlano di "acque lente". Al suo posto "balz*a* da una rimessa" un cagnolino socievole; e non è da dimenticare l'opposizione fra due specie di spolverio, lo "zenzero" e i "moscerini".

Diciamo che l'amore, un amore impegnativo e da intendere nella sua dimensione vitale e fisica, trascina con sè e sequestra il nuotatore per un viaggio lontano, con una destinazione vaga, "oltre confine", e questi vi si identifica senza residuo, isolandosi dagli altri, dalla comitiva, salvo il tempo di dar notizia di sè. È il fiume dell'amore che la comitiva deve attraversare, e il nuotatore che lo conosce bene l'avverte del pedaggio. Il testo della prima pubblicazione era assai più perentorio:

> Additò il ponte in faccia: non si passa,
> informò, senza un soldo di pedaggio.

Non è il caso di spiegare oltre l'allegoria: notiamo soltanto che il nuotatore qui sembra emergere quasi solo per dare il suo avvertimento gentile ma vagamente minaccioso. Una volta che è scomparso allora sì può "balzare" il simbolo stesso della socialità:

> un bassotto festoso che latrava,
> / fraterna unica voce dentro l'afa.

Non per nulla il cagnolino è qualificato di "festoso": in tutto questo mondo della vitalità (e dell'amore), non abbiamo trovato finora, e non troveremo nel seguito, un solo tratto che possa chiamarsi in questo modo.

Verso Capua (1938) è con tutta evidenza il racconto di un distacco, che si potrebbe mettere in relazione con l'avventura di *Clizia a Foggia*, che è un raccontino della *Farfalla di Dinard*; ma non è chiaro se il postiglione si porta via la donna, o il poeta, o nessuno dei due, e Silvio Guarnieri[6] non s'è avvisato di chiederlo. Supposti validi i nostri svolgimenti, la poesia è più significativa se la vettura porta via lei; per quanto "Laggiù" al quarto verso e "in fondo" al terz'ultimo sembrano appartenere allo stesso piano di fondo, mentre la vettura avrebbe dovuto avvicinarsi fino al primo piano; ma i due punti di questo verso potrebbero includere un tempo: e non escluderei che il poeta stesso abbia in certa misura mascherato il fatto. Così gli elementi della poesia sono ripartiti fra la donna e il soggetto: a lui il fiume e generalmente il paesaggio, com'è naturale per chi resta, a lei la vettura e il postiglione. Il quale nel profilarsi "mobile sulle siepi", che è ancora un modo di emergere, nello sciame di "farfalle minutissime", nell'arrivo e nella ripartenza ha molto in comune col nuotatore di *Verso Vienna*, e se vale la caratterizzazione che ne abbiamo dato, è come se il poeta consegnasse la donna a un

[6] In LORENZO GRECO, *Montale commenta Montale*, Parma, Pratiche Editrice, 1980, p. 31.

altro amore. Mentre il fiume è descritto con tratti del tutto simili a quelli che sono attribuiti alla "vita" in *Crisalide* o in *Delta*:

> ... rotto il colmo dell'ansa, con un salto,
> il Volturno calò, giallo, la sua
> piena tra gli scopeti, la disperse
> nelle crete.

Quest'ultimo dettaglio, così simile al "risucchio" di *Crisalide*, dovrebbe dar luogo a una sorta di spiritualizzazione memoriale. Al contrario il pulsare della vitalità, la sollecitazione dei sensi continua dopo il distacco e chiude la poesia come un punto d'organo: "e il fiume ingordo s'insabbiava". Nel momento in cui la vettura riparte "a fatica":

> Un furtivo
> raggio incendiò di colpo il sughereto
> scotennato.

che è una chiara trasposizione (se è il termine) di una violenta accensione dei sensi.

4
LA GONDOLA CHE SCIVOLA...

È il XIII Mottetto, pubblicato nel febbraio 1939, di cui faccio seguire il testo, citato nel seguito in modo molto frammentario:

> La gondola che scivola in un forte
> bagliore di catrame e di papaveri,
> la subdola canzone che s'alzava
> da masse di cordame, l'alte porte
> rinchiuse su di te e risa di maschere
> che fuggivano a frotte –
> / una sera tra mille e la mia notte
> è più profonda! S'agita laggiù
> uno smorto groviglio che m'avviva
> a stratti e mi fa eguale a quell'assorto
> pescatore d'anguille sulla riva.

È una tappa intermedia in questa storia della vitalità, come d'altra parte avrebbe potuto fornire un punto di partenza per tracciarla in entrambe le direzioni: nel nostro percorso è il primo episodio di questa storia – altri saranno indicati nel seguito – dove la presenza e il significato della tematica dell'acqua è preso per accertato. P. Vincenzo Mengaldo[1] scopre in *Genova* di Dino Campana un precedente di questo *Mottetto*, non tanto per "le generiche affinità di décor marino e portuale", quanto per coincidenze lessicali ("catrame" e "cordame", vv.2 e 4, in Campana 124 e 129, "groviglio" al v.9, là (delle navi) al v.45). La rima "cordame/catrame" è segnalata da Dante Isella[2], ma già dal Mengaldo anche in Saba e in Valeri, e fin qua il comune (fino a un certo punto) décor non comporta alcuna coincidenza tematica. Ma è comune l'elemento in cui le due poesie sono immerse, perché la Genova di Campana è la città che apre attorno al porto le sue ricche risorse sessuali : vv.21 sgg:

[1] *La tradizione del Novecento,* Milano, Feltrinelli, 1975, pp. 314-317.
[2] E.M., *Mottetti,* a cura di D.I. Milano, Adelphi, 1988.

Dilaga la piazza al mare che addensa le navi inesausto,
Ride l'arcato palazzo rosso dal portico grande,
Come le cateratte del Niagara,
Canta, ride, svaria ...,

vv.40 sg.:

... e per i vichi lubrici di fanali il canto
Istornellato delle prostitute,

e vv.135 sgg.:

O Siciliana proterva opulenta matrona
...
Classica mediterranea femina dei porti.

La traccia narrativa di *Genova* è l'itinerario di chi sbarca al porto e sale alla città, vv.103 sgg.:

Già a frotte s'avventavano
I viaggiatori alla città tonante
Che stende le sue spiagge e le sue vie.

Due passi di *Genova*, v.50: "E mille e mille occhi benevoli / Delle Chimere nei cieli", e v.145: "Ch'era la notte fonda", si possono, se si vuole, trovare condensati nel verso e mezzo del *Mottetto*: "una sera fra mille e la mia notte / è più profonda", e questa remota corrispondenza, che è pure un'opposizione, misura la distanza fra l'affluire corale di Campana e la chiusa concentrazione di Montale, ponendo fine alle non del tutto vaghe somiglianze. Gli altri e il soggetto sono contrapposti come pluralità e unicità, ricerca del divertimento e dell'avventura, che ha nella "gondola" un mezzo topico, l'uscire alla sera tempestivamente per tale ricerca, e la "notte" "profonda" che indica piuttosto una condizione permanente: "*più* profonda" certo non in confronto, ma a causa del mondo frivolo che si sprigiona, direi proprio così, dalle "alte porte" che invece si "rinchiudono" sull'amata. La "subdola canzone" di Dappertutto, indicata dall'autore, suggerisce un ambiente infernale, un campo aperto all'attività del diavolo, con al centro una sorta di città di Dite, con ricordi danteschi, cfr. *Inferno* III,11: "sommo d'una porta" VIII, 1 sgg.: "Io dico, seguitando, ch'assai prima / che noi fossimo al piè dell'alta torre, / li occhi nostri n'andar suso alla cima", e magari della *Risurrezione* del Manzoni: "Come ha vinto l'atre porte?", il cui "atro", hapax montaliano, si ritrova nell'"atro fondo" di *Cigola la carrucola del pozzo*. Ma il riscontro più esatto, ancora dantesco, è VIII, 82: "Io vidi più di mille in su le porte", dove si ritrovano le mille sere e le maschere, i diavoli a frotte. Carattere infernale ha pure il "forte / bagliore di catrame e di papaveri", di cui tratteremo in altro contesto, notando per il momento che i "papaveri" possono alludere al sonno della "biondina in gondoleta".

Così la città infernale somiglia a un arsenale, come fosse l'arsenale di Venezia (dove però non si fabbricavano gondole). D'altra parte non ci si rassegna facilmente all'idea che l'amata sia semplicemente rinchiusa dietro le "alte porte" solo per la sparizione o la morte, per le quali Montale dispone di espressioni esplicite; il silenzio della e sulla sua condizione deve dunque essere significativo. Dedicheremo più oltre molta attenzione a un mito (più che un tema) montaliano, il mito di un luogo, non ospitale nè gradevole, dove la creatura umana è tenuta a ricostituirsi e a maturare per una nuova nascita: tutta la creatura, non solo l'anima. La prima apparizione di questo mito è *Nel Parco di Caserta*, del 1936, dove il luogo della rinascita è per così dire oggettivo, benché al di fuori del mondo; il *Mottetto* potrebbe quindi rappresentare, dialetticamente, l'estremo soggettivo, dove tutte le forze della rinascita sono concentrate nella persona, e l'ambiente può anche mostrare connotati negativi, purché sia la necessaria segregazione. Allora l'ambiente infernale è al tempo stesso il luogo dal quale escono le gondole e le maschere irridenti, e dove maturano i destini, e la donna vi è chiusa in attesa di uscirne trasformata quando sarà la sua ora. Parallellamente il soggetto si mantiene in una condizione di latenza, torpida e raramente sollecitata: la vitalità scatenata intorno all'arsenale gli si presenta nella forma dello "smorto groviglio" (il "morto viluppo" di *In limine*) della vita elementare e indistinta: di quando in quando la vita prende una forma riconoscibile e viene a dare la scossa, l'urto dei sensi come lo strappo dell'anguilla alla lenza del pescatore;

S'agita laggiù
uno smorto groviglio che s'avviva
a tratti e mi fa eguale a quell'assorto
pescatore d'anguille della riva.

La qualifica di "assorto" ci avverte che la condizione del soggetto non è di sola latenza. Ecco altri esempi: in *Mia vita a te non chiedo lineamenti*:

> Il cuore che ogni moto tiene a vile
> raro è squassato da trasalimenti;

in *Marezzo*:

> Un pescatore da un canotto fila
> la sua lenza nella corrente,

che è immagine d'altronde sintetica, d'immobilità e mobilità a un tempo. Nel *Diario del '72* leggiamo ancora una volta:

> Si deve preferire
> la ruga al liscio.
> Questo pensava
> un uomo tra gli scogli
> molti anni fa.
> ...
> Essa vuole soltanto [la volontà]
> differire
> e differire non è indifferenza.
> Questa è soltanto degli dei,
> non certo
> dell'uomo tra gli scogli.

"L'uomo tra gli scogli" è una specie di autocitazione globale, dove è compreso anche il *Mottetto*. Se ben comprendo egli umanamente preferisce all'indifferenza, lasciata agli dei, la "ruga", la differenza, l'individuazione, che è l'unico fine che la "volontà" si possa porre. Ritroviamo così, nella situazione del soggetto, gli elementi della *Schicksalfrage*, per cui la sua latenza non è solo attesa dell'emergenza dei sensi, e in quanto attesa e implicita tensione non è priva di meriti nei confronti della segregazione dell'amata.

Tutto questo è molto nobile e morale, ma avrà pure un rovescio, che i diavoli e le maschere non sembrano di per sè in grado di rappresentare. Il momento più rilevato, per cominciare, del décor erotico-infernale è naturalmente l'attacco, lo "scivolare" della gondola, che si oppone alla seconda strofa come acqua rapida ad acqua torpida, il cui significato è già intuibile e risulterà meglio dall'esame di *Barche sulla Marna*. E a una gondola vuota, a un'uscita senza prospettive d'avventura, non si sa che valore assegnare. Ma non manca l'indizio testuale, perché il poeta aveva scritto dapprima "riflesso" invece di "bagliore", e incaricò della correzione Giancarlo Vigorelli in un biglietto del 2 febbraio 1939[3], e "riflesso" è la parola-chiave del secondo atto dei *Racconti di Hoffmann* di Offenbach, di cui riprendiamo il riassunto dal *Dizionario delle opere e dei personaggi*: "La seconda [delle tre donne] per influsso [la "subdola canzone"] di Dappertutto, personaggio satanico, ha sedotto Schlemil e gli ha rapito l'ombra ... Ora dovrà rapire a Hoffmann il riflesso. Il poeta si batte per gelosia con Schlemil e lo uccide ... Ma Giulietta fugge in gondola (siamo a Venezia) schernendo il povero Hoffmann in preda al malefico Dappertutto". Aggiungiamo che, nel dramma originale, Giulietta muore del veleno destinato a Hoffmann[4]. Naturalmente il riflesso è, come l'ombra di Schlemil, un pegno dell'anima, ed ecco quindi il poeta "sedotto e abbandonato" dall'amata che gli porta via l'anima. Con questa aggiunta tutti gli spazi del *Mottetto* vengono a essere occupati, solo che le due interpretazioni non sono compatibili. Ma non è neppure necessario che lo siano, perché soltanto la loro successione rende conto di un'amata, per dirlo con brutale approssimazione, prima "peccatrice" e poi "penitente". Quello che il *Mottetto* ci mostra è come la presentazione simultanea di un sogno di cui la donna che fugge è il contenuto profondo, mentre il suo raccogliersi dietro le "alte porte" è una sorta di elaborazione secondaria, provocata dal risveglio incipiente, dal ripristino delle aspettative di futuro e infine dalle esigenze della fedeltà reciproca. E nel ravvivarsi dello "smorto groviglio", negli strappi della lenza, sarà lecito trovare i ripetuti sussulti che provocano finalmente il risveglio.

I due momenti del sogno, così conflittualmente opposti benché s'ignorino a vicenda, sono correlati a una tematica per cui non disponiamo di un nome complessivo, ma i cui termini potremmo chiamare l'"avventura" e, heideggerianamente ma senza impegno, la "cura", la *Sorge*. La forma alta del primo termine è il volo, il quale

[3] G.V., *Lettere inedite di Montale e la prima stesura de «Gli orecchini»*, Nuova Rivista Europea, anno V, 1981, n. 24, pp. 30-34.

[4] In Jacques Offenbach, *Les contes d'Hoffmann*, par Jules Barbier et Michel Carré..., a cura di Claudio Casini, Torino, UTET, 1973.

è sì alcune volte puro imperio e trascendenza, come nell'*Elegia di Pico Farnese*, negli *Orecchini* (dove è una citazione), ne *La frangia dei capelli*, e forse non c'è altro in questa direzione; d'altronde anche in questa poesia la creatura del volo è una "trasmigratrice Artemide ed illesa", come a notare la singolarità dello scampato pericolo. Perché più sovente il volo è una prova piena di rischio da cui non si esce "illesi", così in *Giorno e notte*: "Il colpo che t'arrossa / la gola e schianta l'ali, o perigliosa / annunziatrice dell'alba", ne *Il tuo volo*: "La veste è in brani", in *Sulla colonna più alta*: "Ma in quel crepuscolo eri tu sul vertice, / scura, l'ali ingrommate, stronche dai / geli dell'Antilibano", in *Luce d'inverno*: "Tu stavi male, / unica vita", ne *L'orto*: "O labbri muti, aridi del lungo / viaggio per il sentiero fatto d'aria / che vi sostenne". Così l'arrivo per quanto provvidenziale e desiderato della donna suscita quasi sempre un moto di pietà e di preoccupazione, di cui indicheremmo uno dei momenti più alti in un *Mottetto*:

> Ti libero la fronte dai ghiaccioli
> che raccogliesti traversando l'alte
> nebulose; hai le penne lacerate
> dai cicloni, di desti a soprassalti.

Non per nulla il *Mottetto* è pressoché contemporaneo a *La gondola* e lo precede immediatamente nel libro: c'è fra i due una sorta di compensazione come fra *Gli orecchini* e *La frangia dei capelli*, in un'opposizione di secondo grado, al di là di quella fra l'avventura e la cura, nella dosatura di questi elementi. Le annotazioni "ti desti a soprassalti" e nella seconda quartina "un sole / freddoloso" si trovano in continuità con l'atmosfera di sanatorio di *Molti anni, e uno più duro sopra il lago* e di *Brina sui vetri*, pressoché simultanei (1934), mentre è dell'anno prima (1933) l'"amor de la fiebre" di *Sotto la pioggia* e la migrazione perigliosa della cicogna che "remiga verso la città del Capo". Questa chiusa, che abbiamo già citata nella ricerca sulla *Schicksalfrage*, ci mostra, se non la continuità delle due tematiche, la costanza dei loro comuni tratti strutturali. Finalmente il volo e la cura sono così necessariamente connessi, che questa, l'immobilità della malata, richiama inopinatamente quello di *Xenia* I, n.14, *Dicono che la mia*: "Così meglio intendo il tuo lungo *viaggio* / imprigionata tra le bende e i gessi" (corsivo nostro).

Ma l'avventura non è solo il volo e compare in altre forme e figure prima del volo, fin dall'apertura delle *Occasioni*, nel *Carnevale di Gerti*, in *A Liuba che parte* e soprattutto in *Dora Markus* che porta con sè, come Liuba il "gatto / del focolare", ma in conformità col "lago / d'indifferenza ch'è il *suo* cuore", un amuleto, "un topo bianco, / d'avorio": non importa che la loro fuga sia più necessità che scelta, è comunque la dimensione di queste donne. Al di là del vero e proprio volo troviamo ancora *Di un Natale metropolitano*, del 1948, dove la donna è irraggiungibile al "tardo volo / d'un piccione" per "i gradini che *la* slittano in giù..." Sarà forse per via delle "bottiglie che non seppero aprirsi" che il poeta (se vale l'identificazione di Lorenzo Greco[5]) dà più di vent'anni dopo in *Trascolorando* (nel *Diario del '71*) una versione fredda, quasi la pura definizione di un modo d'esistere: "E lei? Felicemente / s'ignora". Ed è ancora l'"indifferenza" di Dora Markus. Il giudizio qui non conta molto, per l'estraneità forse apparente della persona, ma di fatto è proprio il giudizio che, rispetto all'avventura, che pure è quasi tutto l'interesse e il fascino della donna, e ricordiamo la "leggenda o destino" di Dora Markus, si trova all'altro estremo della cura. Così nella seconda strofa di *Palio*: "Troppa vampa ha consumati / gl'indizi che scorgesti", per cui rimandiamo al nostro commento più avanti, e, come rifiuto di secondarne le tendenze, nell'attacco de *L'eroismo* (in *Quaderno di quattro anni*):

> Clizia mi suggeriva d'ingaggiarmi
> tra i guerriglieri di Spagna e più di una volta mi sento
> morto a Guadalajara ...

E conclude, ricordando le sue imprese di guerra: "Ben poco e inutile anche per lei / che non amava le patrie e n'ebbe una per caso".

In fine un'osservazione o se si vuole una giunta allo studio dell'Agosti, *Testo del sogno e testo poetico: il "mottetto" degli sciacalli*[6]. Nella famosa prosa del 1950[7], che l'Agosti ha scostato per far riapparire il sogno autentico al di sotto dell'elaborazione seconda-

[5] Op. cit., p. 151.

[6] In Stefano Agosti, *Cinque analisi. Il testo della poesia*, Milano, Feltrinelli, 1982.

[7] BC, p. 908.

ria, il "noto poeta" si chiama «Mirco», che è nome più o meno slavo o jugoslavo: c'è un tutt'altro «generale Mirko», dittatore di Livonia, in *Un poeta nazionale*[8]. Applicando a questo dettaglio il poco d'analisi che merita, si direbbe che il poeta si voglia dare lo *status* di straniero, o comunque di persona di nazionalità incerta, evidentemente per adeguarsi alla situazione della donna amata. Ma non nella direzione di Clizia, che ha per sè la "bandiera / stellata" di *Verso Capua*, ma in quella di Liuba, di Gerti, di Dora Markus, verso un paese situato "dirimpetto a Ravenna". A pensarci bene, Mirco fa coppia con Markus, e mi spiegherei facilmente la ripresa della poesia a sette anni di distanza, se Dora è una trasposizione di Clizia. Ancora nel 1976 é proprio *Dall'altra sponda* (in *Quaderno di quattro anni*) che si fa sentire, "ogni morte di papa", "questa Gerti", "piuma" ("illetterata" e inconsapevole) "dell'aquila bicefala".

[8] In E.M., *La poesia non esiste*, Milano, All'insegna del pesce d'oro, 1971, pp. 17-23.

5
BARCHE SULLA MARNA

Abbiamo parlato, a proposito de *Gli orecchini*, della donna "come incontro senza mediazioni del desiderio e dell'esperienza spirituale", e della difficoltà di unificare i due aspetti in una sola persona. Se la difficoltà, per non dire l'aporia, fosse conseguente all'assenza di lei, nel senso che la persona vera e presente potrebbe risolverla se non vanificarla, allora in un fatto non più che biografico dovremmo cercare l'origine di un grande mito, simile a un albero grande e ramificato ma con radici superficiali e poco estese; e il mito stesso non sarebbe che l'aggiustamento, la "sistemazione" di un certo vissuto. È possibile naturalmente una poesia che è aderente osservazione del vissuto, ma tale non è la poesia di Montale, non lo è stata finora, e non lo sarà neppure quando alla caduta del mito non sembrerà sopravvivere che del vissuto. In *Barche sulla Marna* assistiamo alla formazione del mito che non è modellato su una persona, neppure su colei alla cui "loda" sarà applicato. Il che appare del tutto naturale, se si pensa che la poesia è stata scritta in due tempi, 1933 e 1937[1], ma di nuovo tanto più notevole in quanto il mito si forma proprio nel passaggio dalla prima alla seconda versione. Diamo per scontato che il corso d'acqua, sovente impuro, il canale, la fogna, è la vita e l'avventura dei sensi, qualcosa come la libido, ma più biografico. Tale è il punto di partenza della nostra lettura.

> Felicità del sughero abbandonato
> alla corrente
> che stempra attorno i ponti rovesciati
> e il plenilunio pallido nel sole:
> barche sul fiume, agili nell'estate
> e un murmure stagnante di città.

[1] Fu pubblicata in «Letteratura», anno II, n. 1, gennaio 1938.

L'attacco ricorda stranamente un giro di frase biblico, p. es. *Salmi* 1,1, nella vulgata: "Beatus vir, qui non abiit in consilio impiorum ...", che nell'originale suona: "Beatitudini dell'uomo che non va nel conciliabolo dei malvagi ..." L'incontro probabilmente casuale sta a indicare che la felicità è connaturata al sughero, all'uomo cioè indifferenziato nella corrente del suo sangue, come, aggiungiamo, all'uomo nella semplicità della sua rettitudine: da questo polo della sensualità e gioia di vivere la poesia viene sviluppando il polo opposto. Anzi, già in apertura, nella presentazione del paesaggio, sono messi a contrasto, da un lato "i ponti rovesciati", visti cioè nel loro riflesso, un motivo che tornerà – e "il plenilunio pallido nel sole" che è, nella mia privata esperienza, una vista di altissimo valore contemplativo; dall'altro le "agili barche" di cui seguiamo ora il graduale rallentamento:

> Segui coi remi il prato se il cacciatore
> di farfalle vi giunge con la sua rete,
> l'alberaia sul muro dove il sangue
> del drago si ripete nel cinabro.

La precisazione "coi remi" prova che la scena *non* è vista dalla riva, quindi al passo di chi cammina, è la barca che viene sopraggiunta dal "cacciatore di farfalle", e il cui ritmo permette di seguire le figure sopra il muro e di distinguerne il disegno. Si può dir di più, se si consente un minimo d'interpolazione. Il cinabro si ritrova in *Delta*:

> si riaddensa
> il verde ai rami, al muro il cinabrese.

Il cinabrese è un color cinabro con cui si verniciano, p. es., le mattonelle in cotto, e non sembra proprio il colore del mattone scoperto, quale ci si aspetterebbe qui; ma controlliamo la prima redazione:

> e i tronchi fra i rottami dove il sangue
> del drago è simulato dal cinabro:

dove quindi il *colore* del cinabro è "simulato" da un colore simile visibile fra i "tronchi" e i "rottami". L'"alberaia" non compare nel

Tommaseo-Bellini, ed è definita dal Battaglia con un rinvio a questi stessi versi. Approfittando di questa indeterminatezza semantica, si può leggere "alberaia (al disopra del) (muro dove...)" e si tratterà d'una scansione d'alberi; oppure, come preferisco, "l'alberaia sul muro dove (=sulla quale)...", cioè il disegno che si ramifica sul muro scalcinato, e allora sul cinabro, ereditato dalla prima stesura, si ripete (non è soltanto «simulato") il "sangue del drago" come disegno, il colore essendo fornito dal fondo. Ora l'interpolazione. Nel secondo *Mottetto*, datato 1934, leggiamo:

> Poi scendesti dai monti a riportarmi
> San Giorgio e il drago.
> / Imprimerli potessi sul palvese ...

dove mi sembra indubbio che "San Giorgio e il drago" siano il *senhal* o meglio l'emblema della donna. Com'è noto i primi tre *Mottetti* sono indirizzati a "una peruviana che però era di origine genovese e abitava a Genova"[2]; sembra naturale trasportare l'emblema del *Mottetto* nella prima stesura di *Barche sulla Marna*, di dove è rimasto nella versione definitiva, in segno d'omaggio e ricordo. Ma il disegno sul muro dapprima come "ombra" e poi come emblema e presenza della persona, ha una storia, dal "muro" del *Fuscello teso*, a *Non chiedermi la parola*, in *Ossi di seppia*:

> e l'ombra sua non cura che la canicola
> stampa sopra uno scalcinato muro,

all'ottavo *Mottetto*:

> Ecco il segno, s'innerva
> sul muro che s'indora

che è poi, come dice l'ultimo verso, "tua vita, il sangue tuo nelle mie vene", che a sua volta è il sangue diramato di *Stanze*:

> il sangue che ti nutre, interminato
> respingersi di cerchi ...

e finalmente l'ombra alienata e sofferente di *Lungomare*:

[2] LORENZO GRECO, *Montale commenta Montale*, cit., p. 33.

e l'ombra che tu mandi sulla fragile
palizzata s'arriccia ...

e certo l'elencazione non è completa.

Ora il quadro si sposta, o meglio si stacca dalla vista all'udito:

Voci sul fiume, scoppi dalle rive,
o ritmico scandire di piroghe
nel vespero che cola
fra le chiome dei noci, ma dov'è
la lenta processione di stagioni
che fu un'alba infinita e senza strade,
dov'è la lunga attesa e qual è il nome
del vuoto che c'invade.

Penso che nella "lenta processione di stagioni ..." si rifletta, almeno in un primo tempo, un'idea dell'infanzia, quando "Norma non v'era / nè solco fisso" (*Fine dell'infanzia*), nell'"alba infinita" non vi erano "strade", nel senso sia del destino, sia dell'arginamento non ancora necessario della vitalità: l'infanzia come un tempo zero di cui si vorrebbe la continuazione: "dov'è la lunga attesa", il tempo vuoto in cui inizia ogni contemplazione. Non manca naturalmente un rapporto con la situazione per così dire empirica: allo "scandire delle piroghe" risponde la "lenta processione", al corso del fiume (che è una strada per le imbarcazioni) l'assenza di strade nell'"alba infinita": il sogno incipiente rallenta fin quasi all'arresto ciò che già si muove quietamente. Non v'è risposta al dove perché ecco subito il che cosa:

Il sogno è questo: un vasto
interminato giorno che rifonde
tra gli argini, quasi immobile, il suo bagliore,
e ad ogni svolta il buon lavoro dell'uomo,
il domani velato che non fa orrore.

L'assenza di strade, la non necessità di determinarsi: "un vasto / interminato giorno", che tuttavia raccogliendosi "tra gli argini" offre un minimo d'individuazione nella mancanza di limiti, tutto questo è il dono della "quasi immobilità". Per il momento il paese "senza strade" ha ancora delle svolte, forse serba quelle del fiume, dietro a ciascuna delle quali sta, solitario e assorto nel suo lavoro, un artigiano svizzero o Rousseau alle Charmettes, immerso nella sua attiva felicità e non senza la Mme de Warens di turno[3]. Più inaspettato, perché il percorso dei due poeti non potrebbe essere più diverso, è la coincidenza a metà strada con Michele Ranchetti, *La mente musicale*, IV,13:

> In un giardino dove
> ogni pianta ha il suo fiore
> ...
> la virtù
> sta nell'elenco dei giorni
> dopo i giorni, non vi è altrove
> ma la via è questa ...

A questa sorta di paradiso medio Ranchetti perviene come al primo luogo dall'alto, o ultimo dal basso, dove l'aria è finalmente, o ancora, respirabile, un luogo unico da accettare nella sua severità; per Montale è una vita da cui siano utopicamente tolte le asperità, la stessa che egli ritenterà, con un risultato forse più puro, in *Tempi di Bellosguardo* (1939): "il segno

> d'una clessidra che non sabbia ma opere
> misuri e volti umani, piante umane;
> d'acque composte sotto padiglioni
> e non più irose a ritentar fondali
> di pomice ...

La "pomice" contro cui si accaniscono le acque "irose" (come in *Lindau* "l'acqua morta / logora i sassi"), non ha chiaramente rilevanza petrografica, esprime l'attrito, lo sfregamento dei rapporti umani. L'esser le acque "composte sotto padiglioni" è segno appunto che lasciate a se stesse non possono che sfogare la loro distruttività. Ma qui l'acqua è già "quasi immobile", il "giorno interminato" non teme inondazioni, anzi il "suo bagliore" riconosce gli stessi limiti, "gli argini" tra i quali si "rifonde", si raccoglie e si concentra: l'anima e la carne vanno di conserva. Questa severa beatitudine basta a Ranchetti, che vi include "giorno e notte, / sole e bufera". Ma lo scor-

[3] *Confessions,* 1.VI.

rere dell'acqua per quanto lento porta da un "domani" a un "domani" "che non fa orrore" perché è "velato", ma ha pur sempre come termine il destino creaturale della vecchiezza, della decadenza fisica, della morte, schermato dalla regolarità del lavoro e, nel sia pur lento movimento della corrente, da una modica dose quotidiana di appagamento dei sensi: così infatti continua il testo del 1933:

> E altro ancora era il sogno: un riflesso eterno
> di farfalle sull'acqua, un respiro calmo
> di donne che si addormentano, fienagioni
> che stordissero intense, o dallo scalmo
> remi immobili fuori e il gran fermento
> esser grande riposo.

Il "riflesso eterno / di farfalle sull'acqua" è un tentativo di salvare, nell'eternità statica opposta allo scorrere del fiume, il movimento vorticoso dei nervi, del succedersi delle sensazioni: ricordiamo l'"alluciolio della Galassia" in *Notizie dall'Amiata*, o meglio ancora il "formicolio d'albe" di *Su una lettera non scritta*. La regolarità degli anni (le "fienagioni") copre ad un modo le "donne che si addormentano" e l'ebbrezza e stordimento del fieno che fermenta: il "gran fermento" che è rimasto come un relitto nella stesura definitiva:

> E altro ancora era il sogno, ma il suo riflesso
> fermo sull'acqua in fuga, sotto il nido
> del pendolino, aereo e inaccessibile,
> era silenzio altissimo nel grido
> concorde del meriggio ed un mattino
> più lungo era la sera, e il gran fermento
> era grande riposo.

Quest'aria immobile circola (si permetta l'ossimoro, perché non grava nè stagna) non di rado in *Ossi di seppia* e almeno una volta anticipa la temperie di questi versi, in *Quasi una fantasia*:

> Torna l'avvenimento
> del sole e le diffuse
> voci, i consueti strepiti non porta. /
> Perché? Penso ad un giorno d'incantesimo

e delle giostre d'ore troppo uguali
mi ripago.

Le immagini ferme e attonite del seguito: "Avrò di contro un paesaggio d'intatte nevi ...", "Non turberà suono alcuno / quest'allegrezza solitaria" stanno alle "giostre d'ore" proprio come questo secondo immobile paradiso alla "svolte" di quello che lo precede. Ora l'"altro" che "ancora era il sogno" non sarà, come nella prima stesura, l'intensificazione del "buon lavoro" nell'ebbrezza e nel piacere, ma (di qui il "ma" del testo) qualcosa di ancora più astratto e trascendente di quello che appare al livello dell'"acqua in fuga", qualcosa di assolutamente immobile dato che all'acqua è stata resa la sua libertà di fuggire sotto il "nido del pendolino", un passeraceo che nidifica sulle cime dei rami più alti. L'identità o forse meglio l'indistinzione degli opposti, il "silenzio" nel "grido concorde", la sera che è "un mattino più lungo", la trepidazione, il "gran fermento" che, sottratto al suo primo valore di stordimento dovuto alla fermentazione del fieno, è "grande riposo", non esclude una tendenza al meno dilettoso, all'ascetico: la sera è un mattino più lungo, il che già toglie spazio alla notte e ai suoi piaceri, oltreché il mattino ha una connotazione più severa, più strettamente spirituale: ed è anche freddo, "gelo uniforme della natura", dice Ranchetti, cit. IV,7,ii. Aggiungiamo che il "riflesso" non è solo "quel che ci è dato di cogliere dal basso, dalla barca", ma è anche un dato visivo identificato sinesteticamente a tutti gli elementi della descrizione che segue, dal "silenzio altissimo" al "grande riposo". A questa realtà dove i sensi sono "tolti" nella contemplazione si applica il dettato di Matteo, 22,30: "In resurrectione quidem neque nubent neque nubentur, sed erunt sicut angeli Dei in caelo".

A questa visione in quanto aliena dal mondo percepibile si riferisce per opposizione la ripresa della poesia:

Qui... il colore
che resiste è del topo che ha saltato
tra i giunchi o col suo spruzzo di metallo
velenoso, lo storno che sparisce
tra i fumi della riva.

Il passato prossimo "ha saltato" e il presente "sparisce" segnano i tempi di un risveglio, come un tonfo al termine di un sogno, e la sua replica al risveglio. Entrambi gli animali sono portatori di una vitalità, appunto, animale, senza ombra di partecipazione allo spirito, nello storno poi quasi meccanica, di cui è indizio il "metallo / velenoso". È un animale senza storia per quanto sorprendente per i suoi scatti e la sua rapidità; ricordiamo "Il zigzag degli storni sui battifredi" ne *Il sogno del prigioniero*, e in *Da un taccuino* (*Quaderno di quattro anni*):

> Passarono in formazioni romboidali
> velocissimi altissimi gli storni
> visti e scomparsi in un baleno ...

I "fumi della riva" hanno il loro ambito connotativo piuttosto nella "fumea" di *Delta* che nelle "bende leggere" di *Egloga* o nel "pigro fumo" di *Perché tardi?* Ma diciamo che gli animali spariscono come il sogno si fa imprendibile.

Invece il topo che "ha saltato / tra i giunchi" ha una storia lunga, in cui si associa ad altri animali ugualmente a loro agio nell'acqua, almeno nella zoologia montaliana; il primo che incontriamo è il "topo bianco" di *Dora Markus I*, che possiamo lodare con Goethe[4] di non essere grigio. È di regola un animale negativo, di fogna, e ricorre come metafora o similitudine spregiativa, come in *Madrigali fiorentini II*:

> Se s'infognano
> come topi di chiavica i padroni
> d'ieri ...

o in *Botta e risposta II*:

> ora sai che non può nascere l'aquila
> dal topo...

Forse l'animale che "s'inforra" è ancora neutro ne *Il giglio rosso*: "A tuffo s'inforravano / lucide talpe nelle canne", ma la riduzione, se è tale, del simbolo a dettaglio visivo è dovuta al tono complimentoso della poesia. Tanto non vale certo per *L'Eufrate*:

[4] *Faust*, vv . 4176 sgg.

> il suo [del fiume] decorso sonnolento fra
> tonfi di roditori.

Ed ecco l'animale che non è solo se stesso, ma uno dei modi d'essere dell'uomo: all'evocazione della vitalità come asservimento alla potenza del basso, in *Argyll Tour*:

> nella scia
> salti di tonni, sonno, lunghe strida
> di sorci, oscene risa, anzi che tu
> apparissi al tuo schiavo...,

risponde nella poesia seguente, *Vento sulla mezzaluna*, l'assunzione in proprio di questa vitalità:

> T'avrei raggiunta anche navigando
> nelle chiaviche, a un tuo comando.

Così l'alleanza simbolica del topo e della donna, la garanzia che il topo le fornisce in *Dora Markus* diventa una vera e propria catena: il topo, l'acqua (il fiume, la fogna), il sonno (quello di *Nel sonno*), la donna; oppure il poeta come il topo, la chiavica, la donna... Non ci vuole psicoanalisi per scorgere nel topo un animale fallico che ha nella donna il suo "referente" femminile. Non stupisce quindi che la donna disponga del topo, come e meglio che del poeta. Così nella variante del rospo in *Hai dato il mio nome a un albero*:

> alla fiducia
> sovrumana con cui parlasti al rospo
> uscito dalla fogna ...,

in *Quando si giunse al borgo del massacro nazista*, il "ratto d'acqua, tua guida"; finalmente in *Tardivo ricettore di neologismi*, il poeta è surclassato in fallicità (nel sogno) da qualche topo metaforico:

> e intanto tu sei fuggita
> con un buon topo d'acqua di me più pronto
> e ahimè tanto più giovane.

C'è anche una fallicità femminile: ricordiamo dalla *Farfalla di Dinard* la "pantegana", che è ancora un grosso topo di fogna, in cui la donna trova, adontandosene a morte, il suggerimento forse della propria natura, e la versione femminile che è *La trota nera*. Il *tu* a cui si parla qui è certamente la stessa persona di *Di un Natale metropolitano*, che segue immediatamente nel testo, come risulta dal ricciolo posticcio:

> il suo balenio di carbonchio
> è un ricciolo tuo che si sfa
> nel bagno, un sospiro che sale
> dagli ipogei del tuo ufficio.

Il "balenio di carbonchio" o il ricciolo "bergère" è un mezzo di seduzione trasandato ma selettivo:

> Curvi sull'acqua serale
> graduati in Economia,
> Dottori in Divinità,
> la trota annusa e va via.

La storia del topo ha un'appendice curiosa. Esiste infatti un topo aereo, "che non fa schifo", collocato fisicamente più in alto dell'uomo; la prima volta in *Proda di Versilia* (1946):

> e il volo di trapezio
> dei topi familiari da una palma
> all'altra ...

poi in *Sotto la pergola* (*Quaderno di quattro anni*):

> Sulla pergola povera di foglie
> Vanno e vengono i topi in perfetto equilibrio.
> Non uno che cadesse nella nostra zuppiera.

e in (*Altri versi*):

> È probabile che io possa dire io
> con conoscenza di causa
> ...
> o il topo che ha messo casa nel solaio ...

Di questo topo addirittura "non si può escludere" che abbia "quel sentimento / chiamato autocoscienza". Qualcosa di questa idea di un topo modestamente spirituale si trova ancora ne *La verità* (*Quaderno di quattro anni*):

> La verità è nei rosicchiamenti
> delle tarme e dei topi ...

Più che l'attribuzione della verità, anziché alla "logorrea schifa dei dialettici", alla ben nota "minugia", prodotto ultimo dell'opera animale, è interessante l'associazione del topo alla tarma, alla farfallina. Un'associazione simile troviamo in *Götterdämmerung* (in *Satura*):

> Il crepuscolo è nato quando l'uomo
> si è creduto più degno di una talpa o di un grillo;

il grillo che, in *Finestra fiesolana*, "buca / i vestiti di seta vegetale" va colla talpa come la tarma col topo. Esiste una via di mezzo fra le due idee, bassa e alta, del topo? Riprendiamo *Lungomare*:

> Troppo tardi
> / se vuoi esser te stessa! Dalla palma
> tonfa il sorcio, il baleno è sulla miccia,
> sui lunghissimi cigli del tuo sguardo.

Abbiamo accennato alla seduzione che "scatta" togliendo alla donna la chance di "essere se stessa". Gli occhi di lei sono il "baleno" che accende la "miccia" dei "lunghissimi cigli" e fa esplodere le polveri: avvenimento tipicamente "catastrofale", nel senso della teoria di René Thom, raddoppiato dal cadere più che saltare del topo "dalla palma", il che è catastrofale in senso matematico, come se il topo "bucasse" la sua superficie-luogo in una falda per ritrovarsi sulla falda sottostante. In termini mitici, è il diavolo insito nel topo che si rende disponibile alla sua opera nel suo luogo deputato. Non dubito che il "topo aereo" sia nato in questo contesto e abbia preso più tardi, appunto in *Proda di Versilia*, dimora stabile sulle palme, acquistandovi abilità di petaurista. È un caso paradigmatico, mi sembra, di una dettaglio di natura inventato per dar concretezza a un avvenimento interiore, e poi lasciato libero di circolare a suo piacere.

Concludiamo con *Barche sulla Marna*. La ripresa della figura del topo per la prima volta dopo *Dora Markus*, dà a pensare che proprio qui abbia inizio la sua funzione, che il paradiso del poeta vi trovi un massiccio contrario, messo senza riguardo a carico della donna. La verifica dev'essere fatta sul testo:

> Un altro giorno
> ripeti – o che ripeti? E dove porta
> questa bocca che brulica in un getto
> solo?

"Un altro giorno" è finito?, un altro giorno del "domani velato che non fa orrore"? ma la donna (se ha parlato, perché il testo suggerisce solo domande-risposte pensate dal soggetto) non ha ripetuto questo, non si è fermata a questo primo regresso dal paradiso. E se la "bocca che brulica" è, come vien fatto di pensare, una sorta di chiusa dove tutta l'acqua del fiume precipita "in un getto / solo", fuori del simbolo *the way of all flesh*, la donna dovrebbe essere la più informata e sapere "dove porta". Allora gli ultimi due versi:

> (Barche sulla Marna, domenicali, in corsa
> nel dì della tua festa.)

non contengono soltanto un accenno a una ricorrenza di lei, a un pomeriggio ben speso, ma definiscono l'accaduto come una festa dei sensi e della vitalità, una festa del sangue "in corsa", e, poiché le barche riprendono la funzione del topo, una festa della donna: "nel dì della tua festa".

Osserviamo ora che i due paradisi (quelli dei vv.19-23 e 24-30) si formano senza il concorso della donna, anzi il secondo sostituisce un'estensione o intensificazione del primo dove le donne erano esplicitamente previste. Per contro il movimento finale, dal topo e dallo storno in giù, è accollato alla donna in quanto direttamente interessata, usufruttuaria della vitalità; questo allontanamento da lei diventa ancor più sensibile se vale la nostra ipotesi che l'"alberaia" che si disegna sul muro sia il "tracciato" della peruviana: allora la contemplazione del segno di lei, della donna del ricordo, coincide col rallentamento della corrente e dà l'avvio all'estasi che la donna presente interrompe. Questo "grafico" segreto della poesia, sottostante al dettato più manifesto, la cui struttura e conseguenze studieremo fra un istante, appartiene a quell'imprevedibile e che poteva non verificarsi mai, in cui sta tanta parte del fascino della poesia anche più programmata.

Distinguiamo dunque tre momenti: 1) quello della vitalità, del destino somaticamente definito, del quale abbiamo seguito lo sviluppo nel terzo capitolo; 2) un paradiso medio col "buon lavoro dell'uomo" e il "domani velato che non fa orrore", e sotto sotto le donne e le fienagioni; 3) il paradiso estatico "sotto il nido / del pendolino", il permanere immobile e assoluto che si riflette nella corrente. Si comprende perché la seconda fase del paradiso medio sia caduta, non solo per ragioni di equilibrio, ma anche perché i tre momenti si seguono lungo una scala di desiderabilità spirituale, che le donne e lo stordimento delle fienagioni avrebbero reso impossibile. Questa scala ha un forte sapore gnostico, i tre momenti costituiscono in fondo la triade di σάρξ, ψυχή e πνεῦμα, la prima irrimediabilmente perduta e il terzo sicuramente salvo, mentre la seconda può perdersi o salvarsi a seconda della direzione in cui si volge. Così p. es. nella gnosi di Valentino, di cui pure non cercheremo in Montale la processione dei trenta eoni. Il seguito logico di *Barche sulla Marna* sarebbe stata l'opzione unilaterale per il momento estatico, col risultato di lasciar la donna a una distanza irrecuperabile. D'altra parte un punto fondamentale della dottrina cristiana, fin dai primi Padri della Chiesa, è la compresenza, il non distacco dell'anima e del corpo, nei nostri termini la sintesi dei due primi momenti, rimanendo l'estasi una promessa quaggiù irraggiungibile. La soluzione del poeta è stata ancora un'altra, di legare il primo al terzo momento, la vitalità all'estasi, respingendo energicamente la soluzione cristiana[5]; e se a questa compete la qualifica di "religiosa", allora possiamo parlare per il poeta di soluzione "trans-religiosa". E quanto la sintesi cristiana appare consueta e trita, tanto l'idea trans-religiosa ha uno slancio eroico e realizza il suo fine in istanti di particolare trasporto o illusione. Che il "salto", perché di sintesi stabile non si può parlare, dalla vitalità all'estasi vada sovente fallito, che

[5] Questo rifiuto è parallelo all'analogo rifiuto dell'Antico Testamento e della sua legge, usuale fra gli gnostici e testimoniato nella cerchia valentiniana dalla *Lettera di Tolomeo a Flora*, in *Testi gnostici in lingua greca e latina*, a cura di Manlio Simonetti, Fondazione Lorenzo Valla, 1993, pp. 266 sgg. Ed è quanto ha in comune con la gnosi il Marcione nominato in *La cultura*, di cui avremo da riparlare.

d'altra parte la più mite soluzione religiosa conservi molto del suo invito, non è naturalmente un danno per la poesia che vive di queste impossibilità e di questi fallimenti. Un punto resta ancora da precisare: i due momenti non sono assegnati, come appunto in *Barche sulla Marna*, uno a lui l'altro a lei, ma sono entrambi messi sul conto della donna: di qui "l'iddia che non s'incarna" de *Gli orecchini*, per cui al soggetto resta un ruolo in qualche modo passivo: quello del "pescatore d'anguille su la riva", o di chi è tornato a interrogare il destino in riva al mare, come in *Su una lettera non scritta*; gli esempi si potrebbero moltiplicare.

A *Barche sulla Marna* segue, nella sequenza de *Le occasioni*, l'*Elegia di Pico Farnese* che è, si può dire, l'applicazione diretta e quasi programmatica delle idee che siamo venuti esponendo, e poiché un pensiero è sempre (al nostro livello d'interpretazione) troppo semplice per riempire una poesia, vi lascia spazio per dettagli preziosi e seduttivi:

> Nell'alba triste s'affacciano dai loro
> sportelli tagliati negli usci i molli soriani
> e un cane lionato s'allunga nell'umido orto
> tra i frutti caduti all'ombra del melangolo.
> ...
> oscurità animate dagli occhi confidenti
> dei maiali ...

È tipica della gnosi la distinzione antropologica fra gli eletti e gli altri, che non sono neppure i reprobi, e la ritroviamo qui nella visione degradata della religiosità popolare, nelle "donne barbute" (ai cui amori si potrebbe tuttavia indulgere, in una "pigra illusione") e negli "uomini-capre"; Umberto Carpi[6] ha qualcosa da eccepire su questi appellativi, destinati secondo lui all'"uomo-massa" di cui propriamente non si tratta. Nell'attesa di uscire dal "sepolcro verde", e che "Cristo *sia* continuato forse malgré lui"[7], qualcosa che forse è più costume che dottrina è qualificato di "vano farnetico" e di "ner*a* cantafavol*a*" ("nel senso di *balle*", precisa il poeta[8]). Gli elementi del mito montaliano sono altrettanto evidenti: il "trapasso dei pochi"

[6] *Il poeta e la politica*, Napoli, Liguori, 1978, p. 348.
[7] BC, p. 931.
[8] *Ibidem*.

non è la morte santa dei pochi che si salvano, ma il passare immediato dal vitale all'estasi, mentre il "volo", il primo, della donna ripete lo stesso salto nel senso opposto:

> Ben altro
> è l'amore e fra gli alberi balena col tuo cruccio
> e la tua frangia d'ali, messaggera accigliata!
> Se urgi fino al midollo i diòsperi e sull'acqua
> specchi il piumaggio della tua fronte senza errore ...

Così, oltre al corruccio verso coloro che si attardano in una "simbologia" che "dimezz*a* la vita"[9] (ma si pensi questo in modo non banale, s'intenda "l'arresti a metà strada"), la donna è portatrice di una funzione fecondante e maturativa, e il suo "specchiare" "sull'acque" il "piumaggio", come già prima la "frangia d'ali", riproduce la situazione del secondo paradiso in *Barche sulla Marna*, ("il suo riflesso / fermo sull'acqua in fuga"), lo specchiarsi dell'estasi sulla corrente vitale senza nulla d'interposto. Quel che il poeta dice più sotto: "Il giorno non chiede più di una chiave" si può intendere nel senso che alla poesia stessa una chiave è sufficiente, a causa della sua unidimensionalità. Ma non esageriamo, perché la prima stesura portava, anziché "vegli / al trapasso dei pochi", che è profondo e difficile, "veglia sul mio trapasso", che ripete *Incontro*: "Prega per me / allora ch'io discenda altro cammino / che una via di città", e anziché "sull'acqua / specchi", "Specchialo nelle pile d'acquasanta", segno che quello che ci sembra tanto naturale e conseguente non era un semplice corollario.

Ancora un corollario ma sempre difficile e imprevedibile di *Barche sulla Marna* è *Il giglio rosso* (1942). Il giglio rosso è l'emblema di Firenze e l'eredità della città nell'anima di Clizia, in fondo l'anima stessa. La sua storia comincia fra "gli stacci dei renaioli" e le "lucide talpe" che "s'inforravano", simboli non ridotti a dettaglio visivo, come ho anticipato: il "trapianto felice" avviene quindi al livello dell'acqua e della vita dei sensi. Il Devoto-Oli definisce la pescaia: "sbarramento del corso di un fiume utilizzato per la pesca; *estens.* chiusa, destinata ad alzare per un tratto il livello dell'acqua e deviare parte della corrente". Un luogo così strettamente simbolico

[9] *Ibidem.*

non sembra, con la sua acqua alta, il più adatto al lavoro dei "renaioli", che saranno sì un dettaglio visivo, come le "torri" e i "gonfaloni", che sono un ricordo della giornata del Palio.

La seconda strofa è più misteriosa:

> il giglio rosso già sacrificato
> sulle lontane crode
> ai vischi che la sciarpa ti tempestano
> d'un gelo incorruttibile e le mani,-
> fiore di fosso che ti s'aprirà
> sugli argini solenni ove il brusio
> del tempo più non affatica...: a scuotere
> l'arpa celeste, a far la morte amica.

La spiegazione del poeta[10] mi sembra del tutto depistante: "Contrapposizione tra una gioventù passata a Firenze e una maturità passata nel nord (vedi Iride)." Le "lontane crode" sarebbero allora, improbabilmente, quelle dell'Ontario, lago dalle rive pianeggianti; ma soprattutto il commento non dà conto di quel "già" su cui sono incernierate le due strofe della poesia. Dobbiamo quindi orientarci sui segnali interni. I "vischi" e il gelo sono assegnati al religioso: per il gelo si vedranno gli sviluppi di *Palio*; i vischi si trovano in *Iride*: "In quel nimbo di vischi e pugnitopi / che il tuo cuore conduce / nella notte del mondo", e in *Sulla colonna più alta*: "ancora / il tuo lampo mutava in vischio i neri / diademi degli sterpi", che sono fra le poesie dove la donna appare più intensamente Cristofora; il vischio e il gelo sono poi uniti in *Di un natale metropolitano*: "Un vischio, fin dall'infanzia sospeso grappolo / di fede e di pruina". Il senso, assai riposto, dovrebbe ormai esser chiaro: tu hai sacrificato il giglio rosso, la tua anima nuova, ai vischi il cui gelo aderisce indelebilmente (come in *Palio*) alla tua sciarpa ecc. (ma il vischio "aderisce" già per suo conto, e questa può essere un'altra ragione per il suo impiego in quest'ambito), "incrodandoti" in quel luogo (religioso) da cui non si riesce più a scendere nè a salire. Negli ultimi quattro versi, gli "argini solenni" richiamano quelli di *Barche sulla Marna*, e il "brusio del tempo" che "più non affatica" riprende il "domani velato che non fa orrore": siamo sempre nell'ambito del primo paradiso. Tuttavia "l'arpa" proprio nel commento a questa

[10] BC, p. 943.

poesia ricorda al Valentini[11] la "giga e arpa" in *Par.* XIV, v.118, che sono strumenti d'estasi, cfr. vv.121 sgg.: "così dei lumi che là m'apparinno / s'accogliea per la croce una melode / che mi rapiva, sanza intender l'inno"; la morte non sarà amica solo perché nascosta "ad ogni svolta". Finalmente l'aprirsi del "fiore di fosso" ai limiti del primo paradiso, al di là del paradiso in vita, sta per la congiunzione della carne e dello spirito (πνεῦμα). Riconosco però che le indicazioni della poesia non sono del tutto univoche.

Ma anche l'andamento del fiume che scorre dapprima lentamente per poi "*brulicare* in un getto / solo", se non è di per sè un simbolo, può essere vettore di valori simbolici: siamo al confine fra il simbolo e la struttura. Ne *L'Arno a Rovezzano*, in *Satura*, il bilancio negativo della biografia e della storia si specchia, è il caso di dirlo, nella considerazione del fiume:

> I grandi fiumi sono l'immagine del tempo,
> crudele e impersonale. Osservati da un ponte
> rivelano la loro nullità inesorabile.

"Crudele" come la vita (*Flussi*) e "impersonale" l'immagine dell'individuazione; ma è il tempo a non avere più rilevanza personale. A vederli da vicino ("osservati dal ponte") perdono ogni significato. Ma se rallentano... ed ecco la scansione di *Barche sulla Marna*:

> Solo l'ansa esitante di qualche paludoso
> giuncheto, qualche specchio
> che riluca tra folte sterpaglie e borraccina
> può svelare che l'acqua come noi pensa se stessa
> prima di farsi vortice e rapina.

All'indugio del fiume nel doppio tempo della contemplazione e della "rapina" corrisponde, in ordine inverso, la quasi impercettibilità della casa vista dal treno, e di seguito una visione rallentata e carica di ricordo:

> La tua casa era un lampo vista dal treno. Curva
> sull'Arno come l'albero di Giuda
> che voleva proteggerla.

[11] ALVARO VALENTINI, *Lettura di Montale. "La bufera e altro"*, Roma, Bulzoni, 1977, p. 80.

I due momenti non hanno solo una ragione strutturale, portano con sè anche una doppia misurazione del tempo della vita: "Tanto tempo è passato, nulla è scorso ...". L'ultimo tempo della casa riprende il rifiuto di senso dei primi tre versi, e completa la terna rovesciata con un trapasso dubbioso:

> Forse c'è ancora o
> non è che una rovina. Tutta piena,
> mi dicevi, d'insetti, inabitabile.

Così i luoghi del passato, i depositari del destino, come in *Dora Markus II* o in *Tempi di Bellosguardo*, sono preda del ritorno all'elementare senza, vorremmo dire, possibilità di disinfestazione.

6
NOTIZIE DALL'AMIATA

La difficoltà essenziale della poesia sta nei vv.15-21 della seconda parte:

> Ritorna domani più forte, vento del nord,
> spezza le antiche mani dell'arenaria,
> sconvolgi i libri d'ore nei solai,
> e tutto sia lente tranquilla, dominio, prigione
> del senso che non dispera! Ritorna più forte,
> vento del settentrione che rendi care
> le catene e suggelli le spore del possibile!

Sembra inevitabile leggere nei primi tre versi un'invocazione a una moderna libertà, a disfarsi di tutto ciò che nel borgo medioevale immutabile è segno di una regola di vita uguale e limitata: "le antiche mani dell'arenaria." Quello che segue è invece, con evidente contraddizione, piuttosto l'arresto e il congelamento di ogni vita; per non dire che i "libri d'ore", scandiscano come breviari le giornate di una vita devota o misurino gli anni come calendari, sarebbero indicati, più che finire in qualche solaio, a far bella mostra sotto il vetro di una bacheca, di cui la "lente tranquilla" potrebbe essere una variante. Tuttavia non mancano i passi paralleli dove questi (e altri) elementi compaiono in diverse combinazioni.

Il vento del nord ha un antenato nella tramontana dell'omonima poesia di *Ossi di seppia*: (p. 69): "Oggi una volontà di ferro spazza l'aria"; ne riteniamo la qualità di gelo, capace di spezzare le pietre. Ecco poi *Tempi di Bellosguardo*, seconda parte (II):

> il vento
> porta dai frigidari
> dei pianterreni un travolto
> concitamento d'accordi ...;

Il ritorno (III):

ecco
ancora quelle scale
a chiocciola, slabbrate, che s'avvitano
fin oltre la verande
in un gelo policromo d'ogive;

l'*Elegia di Pico Farnese* (IV):

Ma più discreto [il tuo splendore] allora
che dall'androne gelido, il teatro dell'infanzia
da anni abbandonato, dalla soffitta tetra
di vetri e d'astrolabi ...,

So che un raggio di sole (V):

Qui nell'androne come sui trifogli;
qui sulle scale come là sul palco,
sempre nell'ombra ...

Ci sono altri esempi la cui lettura "dedurremo" dall'interpretazione, o meglio, dalla sintesi di questi in un complesso unico. Elenchiamo gli elementi comuni: il gelo in *Notizie dall'Amiata* (I), in II e IV; il luogo alto, solaio o scala, I e III; i vetri in I ("la lente") e IV, le ogive (III) che suggeriscono vetrate gotiche: i due elementi sono unificati nel "gelo policromo"; i "libri d'ore" e gli "astrolabi" hanno più o meno da fare coll'amministrazione del tempo; l'ombra in IV ("tetra") e V; la destinazione un tempo teatrale del luogo in IV e V: in IV si tratta del teatrino di casa Landolfi[1], di cui il poeta si è appropriato. Nella non facile integrazione di questi elementi, il teatro dell'infanzia" ci indirizza a un poeta che Montale non sembra aver frequentato, benché certe sue figure silenziose, come il "pescatore d'anguille su la riva", sembrino modellate sullo stampo di quello. È infatti una somiglianza archetipica quella che cerchiamo, non necessariamente un precedente. Si tratta di Wordsworth, e precisamente di *The Prelude*, VII, vv.436-488 nella stesura del 1805[2]. In questo passo il poeta, dopo aver narrato del fascino che il teatro esercitava su di lui, quando (vv.464-466) "all the antics and buffoo-

[1] LUCIANO REBAY, *I diòspori di Montale*, in "Italica", vol. XLVI, p. 36.
[2] The Oxford Authors. William Wordsworth. Edited by Stephen Gill. Oxford University Press, 1984, pp. 479 sg.

nery, / The least of them not lost, were all received / With charitable pleasure", viene a parlare dello spettacolo che gli avvenimenti della Londra notturna gli offrivano (vv.466-474):

> Through the night,
> Between the show, and many-headed mass
> Of the Spectators, and each little nook
> That had its fray or brawl, how eagerly,
> And with what flashes, as it were, the mind
> Turned this way, that way! sportive and alert
> And watchful, as a kitten when at play,
> While winds are blowing round her, among grass
> And rustling leaves.

Il chiuso e l'aperto si alternano, e l'aperto è a sua volta ridefinito come chiuso: il "nook", l'angolo dove avviene la rissa, "fray or brawl", la mente del soggetto (il poeta che fa la storia della sua autoeducazione) vi si muove come un gattino al sicuro nel vento e nel fruscio delle foglie. Questo piacere per la vita, si mostri nella finzione teatrale o nelle avventure notturne, il poeta lo riconosce come eredità dell'infanzia, vv.481-488:

> Pleasure that had been handed down from times
> When, at a Country-Playhouse, having caught
> In summer, through the fractured wall, a glimpse
> Of daylight, at the thought of where I was,
> I gladdened more than if I had beheld
> Before me some bright cavern of Romance,
> Or than we do, when on our beds we lie
> At night, in warmth, when rains are beating hard.

Il luogo chiuso, il "Country-Playhouse", che nella versione del 1849 il poetà preciserà come "some rude barn / Tricked out for this proud use", lascia vedere solo attraverso uno spiraglio il mondo esterno e la letizia è provocata dalla coscienza di non trovarsi ancora nel teatro della vita, ma di contemplare "some bright cavern of Romance", uno spazio che si apre nel fianco di una montagna, rimanendo pur sempre chiuso, magari il teatro stesso: di sentirsi protetto nella propria maturazione. Si noterà la gradazione nel progressivo chiudersi del luogo protettivo: "among grass / and rustling leaves", "At a country playhouse ... In summer", "At night, in warmth". La definitiva chiusura al mondo ostile, "on our beds", doveva risultare strana allo stesso poeta, che soppresse nella versione del 1849 gli ultimi due versi[3].

Il calore è l'esatto contrario del gelo nel complesso montaliano, è l'elemento della coscienza e della volontà, l'autotestimonianza del gioco e del piacere che il poeta moderno si nega. Ma la dialettica del chiuso e dell'aperto non è finita nell'opposizione fra "vento del nord" e "lente tranquilla", perché nell'*Elegia* "dall'androne gelido ... un segno ci conduce" dove il "fanciulletto Anacleto" ha compiuto la sua metamorfosi da "lemure" (fantasma, creatura in certo senso insesistente) a creatura "celeste", chiamata in alto, come dice il suo nome. E il luogo dove l'homunculus del gelo – l'homunculus goethiano nasce naturalmente da un'infusione calda – si manifesta è ancora una "radura brulla", che riunisce i tratti dell'aperto e del chiuso e al solito inamena: già nella prima stesura era una "magra selva". I due versi del Faust (6859 sg.) in cui il famulo Wagner spiega il procedimento di fabbricazione dell'homunculus si adattano alla lettera al nostro caso:

> Und was sie [die Natur] sonst organisieren ließ
> Das lassen wir kristallisieren.

Certo l'homunculus, che non è nato dalla forza organizzatrice della Natura, è, nei nostri termini, ancora incompleto, e non può sopravvivere che nella fiala dove è nato: è ancora un "seme del possibile"[4]. Ma i segni della fiala non mancano neppure nell'*Elegia*. Nell'analisi fonica che egli fa di questo testo, il Jacomuzzi[5], dopo aver stabilito tre "serie allitterative", nota a proposito della terza: "*ri*frangi", "*ri*fatto", "*ri*carica": "l'effetto distruttivo, di dispersione

[3] L'accostamento con Wordsworth è fatto sulla sola base di un'esperienza rara e paragonabile; un ricordo diretto di *Prelude*, X, v. 74 : "The earthquake is not satisfied at once" (p. 534 dell'edizione citata) mi sembra di scorgere in *Nuove stanze:* "Follia di morte non si placa a poco / prezzo", e forse anche ne *Il ventaglio*: "La calanca / vertiginosa inghiotte ancora vittime".

[4] Scomparsa o semplificata al massimo questa dialettica, il "lemure" non esprime che una religiosità scaduta in *Sulla spiaggia (Diario del* '72): "Tutti i lemuri umani avranno al collo / croci e catene. Quanta religione".

[5] ANGELO JACOMUZZI, *Il fanciulletto Anacleto a Pico Farnese,* in *La poesia di Montale,* Torino, Einaudi, 1978, pp. 132 sg.

del «vano farnetico» ... segnalato dalla prima serie ["festa", "appari", "spari"], ha il suo corrispondente nell'effetto di rifrazione, *metamorfosi, rifacimento* [cn] segnalato dalla terza". L'effetto della ripetizione dello stesso prefisso, quasi un'anafora, è di ordine non meno semantico che fonico, ed ha la sua rispondenza proprio sul piano semantico, narrativo:

> È mite il tempo. Il lampo delle tue vesti s'è sciolto
> entro l'umore dell'occhio che rifrange nel suo
> cristallo altri colori.

Il "lampo" (e sia pure quello "delle tue vesti") si è chiuso, con "altri colori", col mondo intero di cui la "radura" è l'immagine in piccolo, nell'"umore" di un occhio impersonale, la "lente tranquilla" di cui il fanciulletto è il primo portato. Ora il mondo è semplice: "Il giorno non chiede più d'una chiave", soltanto ora, perché almeno due sono i complessi simbolici all'opera nell'*Elegia*, e la "sutura" o "espediente" che il poeta ritiene perdonabile su una lunghezza di 65 versi[6] è ineliminabile: nessun sentiero e nessun "segno" porta dalla "messaggera" al "fanciulletto", o meglio, il segno c'è e non è una zeppa, è il "lampo delle tue vesti" che si chiude sotto la lente.

Concludiamo la lettura del nostro testo: il vento del nord è chiamato a spezzare "le antiche mani dell'arenaria", i vincoli della fede e della tradizione, a sconvolgere i libri d'ore, breviari o calendari che siano, a voltarne furiosamente le pagine, quasi per sopprimere o confondere la misura del tempo: il "senso", l'impulso a vivere, ed anche la sensualità, si raccolgono come nella loro origine sotto la "lente tranquilla" che li manifesta e imprigiona a un tempo; il gelo "suggella le spore del possibile", ne arresta e forse arretra lo sviluppo per una diversa germinazione, ed è proprio il vento che rende la vita difficile che persuade al rientro totale, "rendendo care" le catene: come nella favola della scommessa col sole, il vento soffiando induce il viandante a chiudersi più strettamente nel mantello. La contraddizione è l'inizio di uno svolgimento, non qualcosa da togliere.

Questo tema avrà un futuro nel Montale tardo, e gli dedicheremo un paragrafo; ma l'ambientazione nel luogo gelido e abbandonato, e i dettagli vetrari appartengono a un secondo percorso che

[6] *Lettera a Bazlen* in BC, p. 930.

più volte incrocia la nostra strada. Così *Tempi di Bellosguardo III*, già citato a proposito di *Barche sulla Marna*, termina:

> dura opera,
> tessitrici celesti, ch'è interrotta
> sul telaio degli uomini. E domani...

L'"opera" delle "tessitrici celesti", figure oltreumane come le "madri" di *Nel parco di Caserta*, è quella vita fatta di "opere ... e volti umani", filtrate come sabbia attraverso una "clessidra", che gli uomini hanno impostato sul telaio ma non riescono a portare a termine: non malizia di singoli ma destino immanente, adombrato nelle intemperie; citiamo ancora dalla seconda parte:

> e più ancora
> derelitte le fronde
> dei vivi che si smarriscono
> nel prisma del minuto,
> le membra di febbre votate
> al moto che si ripete ...

La "lente tranquilla", la "clessidra", il "prisma": l'ultimo passo sulla scala del vetro ed è il "gelo policromo d'ogive", da *Il ritorno* già citato, nel pieno dell'inverno e della tempesta: "Ecco bruma e libeccio ..." Un legame, intenso ma forse l'unico, con l'*Elegia*, è "il barcaio*lo* Dui*lio*" che ha in comune con "il fanciullet*to* Anacle*to*" non solo lo stampo ritmico e sintattico, ma anche la consonanza delle due parole che formano la definizione: in corsivo le sillabe rilevanti. Del resto il barcaiolo è uno psicopompo, non una creatura dei Campi Elisi. I versi centrali:

> e vibrano [le vecchie scale] al ronzìo
> allora che dal cofano tu ridésti leggera
> voce di sarabanda
> o quando Erinni fredde ventano angui
> d'inferno e sulle rive una bufera
> di strida s'allontana ...

pongono alcuni problemi dei quali uno già risolto dal poeta[7]: "'Ri-

[7] BC, p. 934.

désti' non da 'ridere' ma da 'ridestare'". Ettore Bonora[8] parla come di cosa ovvia della "voce di sarabanda che esce dal fonografo manovrato dalla compagna del poeta ... leggera per il tono nel quale è tenuto il fonografo, ma tutt'altro che lenta e austera". L'interpretazione è del tutto naturale, ma non si può escludere che sia invece la donna, già nota per il suo "trillo d'aria", a cantare sommessamente: i "margini del canto" non provano molto, ma le "vecchie scale" "t'ascoltano", e soprattutto il complemento oggetto "leggera voce / di sarabanda" vorrebbe un articolo. Leggendo in questo modo la "leggera voce" non può essere che apposizione del soggetto "tu", e il complemento oggetto andrà cercato negli "angui d'inferno" ridestati dal "tu" o "ventati" dalle "Erinni fredde"[9]. In ogni caso il suono è in crescendo, come provano le scale che "vibrano al ronzio", e c'è continuità fra la "voce di sarabanda" e gli "angui d'inferno" ch'essa ridesta, perché, prima di essere la danza compassata e sentimentale che conosciamo dalle suites di Bach, la sarabanda era una danza agitata e licenziosa, e questo senso ha la parola ha nell'uso quotidiano, e anche in *Lindau*. Così però il "cofano" perde la sua specificità di fonografo, e ne rimane il solo nocciolo simbolico, il succedaneo della lente tranquilla che però non racchiude anime *in fieri* ma lascia sfuggire memorie e cose nocive, e infine una tempesta: un nocciolo comunque irrinunciabile. La poesia è dell'inizio del 1940, alle avvisaglie ormai de *La bufera*, già presente col nome comune, e il ricordo si riattualizza e prende il segno di una sciagura cosmica ("il sole / che chiude la sua corsa"), non solo per le "vecchie scale" (chiamate "nostre" con un tratto seduttivo ma non privo d'ironia) "a chiocciola, slabbrate ...", ma perché il "funghire velenoso d'ovuli" anticipa la "Memoria" che però non "giova" di *Voce giunta con le folaghe*, ed è quindi "abiezione / che funghisce su sè." Anche il dettaglio assai datato delle "ogive policrome" fissa un'epoca del passato, e lo ritroveremo, forse troppo facile, in *Da una torre*:

> Ho visto nei vetri a colori
> filtrare un paese di scheletri
> da fiori di bifore ...

[8] *Le metafore del vero,* Saggi sulle «Occasioni» di Eugenio Montale, Roma, Bonacci, 1981, p. 112.

[9] Una coppia soggetto-apposizione del tutto simile è "tu fólgore" nel Mottetto *Perché tardi?*

Ma anche il prisma è un simile dettaglio datato, perché negli anni trenta era ancora di moda una lampada (in ferro battuto) a forma di prisma esagonale, le cui facce laterali erano rettangoli di vetro di solito di diversi colori. E il prisma è il luogo del disordine e dell'arretramento del tempo, come fosse un film proiettato all'indietro, fin dal *Carnevale di Gerti*:

> Penso
> che se tu muovi la lancetta al piccolo
> orologio che porti al polso, tutto
> arretrerà dentro un disfatto prisma
> babelico di forme e di colori ...

Vedere nel vetro assente dell'orologio qualcosa come la "lente tranquilla" è certo troppo dedurre, ma vedi sotto: "Chiedi / tu di fermare il tempo ..." E a chiudere, a "boucler" questo cammino di ritorno, ecco una parola-chiave:

> La tua vita è quaggiù dove rimbombano
> le ruote dei carriaggi senza posa
> e nulla torna se non forse in questi
> disguidi del *possibile*.

Corsivo nostro.

C'è altro da dire su *Il ritorno*. Perché questo invelenimento del ricordo? Annota il poeta: "Aria di musica, nella quale i mozartiani *Angui d'inferno* non dovrebbero solo giustificare la raffica finale." Da quando il *Flauto magico* si esegue solo in tedesco, l'identificazione degli "angui d'inferno" non è più così ovvia com'era per il poeta. Si tratta delle prime parole dell'aria della Regina della notte: "Der Hölle Rache kocht in meinem Herzen", dov'essa ingiunge a Pamina, in nome dei vincoli filiali, di uccidere Sarastro con un pugnale ch'essa le consegna: "Fühlt nicht durch dich Sarastro Todesschmerzen / So bist du meine Tochter nimmermehr". Questa madre ostile agli engagements della figlia, che le rinfaccia i suoi doveri di fedeltà agli scopi famigliari, è l'Erinne che scatena "la bufera / di strida" e "allontanandosi" lascia la donna della poesia, al contrario di Pamina, disposta a infliggere il "morso / oscuro di tarantola" e il soggetto "pronto" a riceverlo. Si può anche speculare su una Regina della notte, del regno occidentale, quindi dell'America. L'identificazione del soggetto con Sarastro non è facile in base al testo originale, ma si spiega con la traduzione ritmica:

> Gli angui d'inferno – mi sento in petto,
> Megera, Aletto – ho intorno a me.
> Svelga al fellone – Pamina il core,
> Se il reo non muore, – figlia non è ...

dove si nominano le Erinni, e "fellone" si adatta a qualsiasi persona che sia oggetto di viva antipatia. Arshi Pipa[10] annota: "In "Clizia a Foggia", una storia in *Farfalla*, Clizia è mutata in ragno. Questo fatto potrebbe essere interpretato come una conferma che il "morso della tarantola" significa rimorso di ricordi d'amore." Questo collegamento mi sembra decisivo, perché i due testi si spiegano a vicenda, e il sogno di Clizia nel racconto, che immagino posteriore alla poesia, non è abbastanza motivato dal gusto di farsi beffe dei due "professori" di metempsicosi. Ma se è così, il "morso di tarantola" è prefettamente appropriato per lo stato di abbandono, di risentimento e, se mi si passa la parola, di eretismo in cui la partenza di Clizia lascia il poeta, già nell'occasione di *Verso Capua*. Il Bonora poi[11] cita e sottoscrive una considerazione di Vittorio Sereni[12]: "Certo si può leggere anche così: siamo già nel tempo di guerra o almeno della guerra in Europa e le *Erinni fredde*, gli *angui d'inferno*, la *bufera di strida* ... chiamano in causa la coscienza storica." È vero, ma non in modo così immediato. Una prima stesura recava:

> o quando Erinni stridule nel cuore
> ventano angui d'inferno in una raffica
> di punte sulle rive ...

dove si nomina il luogo "intimo" dell'evento poetico, in opposizione dura con le "punte sulle rive" che a me sembrano più bellicamente connotate della "bufera di strida". Nella stesura definitiva, dove il luogo intimo è stato soppresso, la "bufera di strida", quasi fosse l'esplosione della "sarabanda", "sulle rive ... s'allontana", e vuol pur

[10] Citato dal Bonora p. 117.
[11] Cit., p. 110.
[12] In AA.VV., *Letture montaliane* in occasione dell'80° compleanno del poeta, Genova, Bozzi, 1977, p. 194.

dire si propaga nel mondo, come la guerra, e questo movimento, che lascia isolato il soggetto in attesa del "morso oscuro", è emblematico del rapporto quasi mai diretto che Montale istituisce fra i sentimenti personali e gli avvenimenti pubblici.

Quest'analisi de *Il ritorno* sembrerà certo troppo lunga e divergente, ma ecco un tema appartenente a entrambe le linee, in positivo o in negativo. Scrive il Boutroux[13]: "Ensuite, peut-on dire qu'une tendance soit une réalité positive? La tendance n'exixte-t-elle que lorsqu'elle se manifeste; n'est-elle qu'une somme d'actes passés ou présents? Certes, elle peut exister lors même qu'elle ne se manifesterait pas. Est-ce une somme d'actes possibles? De deux choses l'une: ou ces actes se réaliseront certainement, et alors ils ne sont pas simplement possibles, ils sont futurs: mais il n'est pas nécessaire qu'une tendance doive se réaliser pour que l'existence doive en être admise; ou ces actes sont véritablement possibles, c'est-à-dire se réaliseront ou ne se réaliseront pas: mais dans ce cas, ils ne peuvent être considérés comme une réalité positive, c'est-à-dire donnée dans l'expérience". Così il "possibile" è la categoria di quella contingenza, "non data nell'esperienza", che spinge il mondo "di grado in grado" dallo spazio e dal tempo fino all'uomo (e oltre), e le "spore del possibile" non sono i semi congelati in attesa di un'occasione propizia per germogliare, ma, più radicalmente, i germi dell'oltreumano, dello πνεῦμα capace di quel nuovo paradiso che condivide con la "lente tranquilla" l'immobilità e la trasparenza. Ci sono precedenti, ovviamente più naturalistici, in *Ossi di seppia*: *In limine*: "si compongono qui le storie, gi atti / scancellati pel gioco del futuro", che cancellano la loro attualità per dar luogo al futuro in quanto "gioco" non determinato; *Crisalide*: "La libertà, il miracolo, / il fatto che non era necessario", dove non toglierei al "miracolo" una certa aura religiosa; *Vento e bandiere*: "Ahimè, non mai due volte configura / il tempo in ugual modo i grani! E scampo / n'è": i "grani", i semi che predispongono sono tuttavia capaci di ordinarsi in altro modo in altra occasione, ed è questo il nostro scampo; ma il regresso dai "grani" alle "spore" sta a significare qui un rifacimento interno ben più radicale. Appartiene più esattamente a quest'ambito un verso della *Casa dei doganieri*: "e il calcolo dei dadi più non torna". Non si "calcolano" i dadi, che sono quanto di meno affidabile, ma in quanto tali essi introducono nel

[13] BOUTROUX, *De la contingence*, cit., p. 128.

mondo il momento di contingenza, che in questa prospettiva è il possibile su cui si può far conto – calcolare quindi. Se il "calcolo ... non torna", è segno che il possibile non mantiene le sue promesse. Finalmente il controesempio del *Carnevale di Gerti*, i "disguidi del possibile" dove l'iterazione, "le ruote dei carriaggi senza posa", rimandano a un possibile che rinuncia ad esser tale; di qui il "disguido", l'errore di direzione o d'indirizzo.

Se, lungo la linea del *Ritorno*, il complesso simbolico sembra conservare un rapporto con una realtà, fatta d'altronde, più che di registrazioni del vissuto, di ricordi e presentimenti deformati dal prisma policromo, l'assenza quasi totale in *Notizie dall'Amiata* di questo genere d'inviti rende assai problematico l'inserimento, l'apropposito di quei sette versi nel complesso della poesia. A meno di leggere tutta la poesia in modo simbolico, voltando per così dire ogni pietra che s'incontra sul cammino, non solo quelle su cui s'inciampa. Il nodo simbolico è "forte", e il solo capace di ridurre i diversi momenti a un'unità dialettica, e un commento che non lo presupponga e non miri a identificarlo corre il pericolo, o di seguire inutilmente i passi del poeta-turista, o di disperdersi in simbologie sparse e arbitrarie. Procedendo col necessario rigore si rischia in verità di perdere il sentore di contingenza, di "fatto vero", che è anch'esso parte del fascino della poesia, il potersi compiacere col destino per aver portato il poeta proprio su *quella* strada, in *quel* giorno. Ma la realtà, il vissuto della veglia, e il sogno sono le esperienze vitali e conclusive: riprendo alcune idee dal Winnicott in *Gioco e realtà*[14]: "Qui avevamo veramente a che fare col sogno e con la vita, e non ci trovavamo persi nel fantasticare ... il sognare (che è vivere) ... il fantasticare interferisce con l'azione e con la vita nel mondo reale e esterno, ma molto di più interferisce col sogno e con la realtà psichica personale e interna, nucleo vitale della personalità individuale". E se la realtà, in quanto è vivere, si rispecchia nella poesia come *Ergriffenheit*, appartenenza dell'uomo alla natura[15], come teorizzata dal Leopardi nel *Discorso di un italiano intorno alla poesia roman-*

[14] D.W. WINNICOTT, *Gioco e realtà.* Traduzione di Giorgio Adamo e Renata Gaddini, Roma, Armando, 1974, p. 69.

[15] Il termine è di Leo Frobenius, *Kulturgeschichte Afrikas, Prolegomena zu einer historischen Gestaltlehre,* Phaidon-Verlag, Zürich, 1933, p. 24. La realtà *(Wirklichkeit)* è intrisa d'emozione *(Ergriffenheit),* altrimenti è solo dato di fatto *(Tatsache).*

tica, mentre il sogno ha nel simbolo la sua verità, si vede che i due termini si scambiano dialetticamente, sicché appare di volta in volta la loro differenza ma non quale sia l'uno o l'altro. La questione è decisa, fichtianamente, dal ricorso alla volontà, dal mettersi in movimento, dall'andare in cerca della propria realtà dovunque in Montale, e qui in *Notizie dall'Amiata* in special modo. E questa passeggiata è come la superficie del sogno, il suo contenuto manifesto che ad ogni passo apre al simbolo imprevisti cunicoli, e in questo modo ne ripristina la contingenza.

Entriamo quindi nel mondo dell'arenaria, anche se il termine è improprio o riduttivo, perché la pietra tipica dell'Amiata, vulcano spento pleistocenico, è (notizie Touring) trachite, alla cui porosità il luogo deve la sua straordinaria ricchezza d'acque: vedi il "pozzo profondissimo" e le architetture "fragili", non solo perché gotiche (benché l'autocommento sottolinei il carattere romanico del complesso), ma anche perché intrise d'acqua. Questa roccia è pure, se vogliamo, un'immagine del terreno del sogno, percolante agli strati profondi del simbolo: forse, per l'ambigua collocazione di questo, gli strati superiori, e il "pozzo profondissimo" mette in comunicazione col cielo, come farebbe un camino che "il focolare / dove i marroni esplodono" non rappresenta adeguatamente. I vetri intorbidati, il focolare senza camino esplicito, i marroni che esplodono come quando non sono castrati, come essa dice, a dovere, le "gabbie coperte", forse vuote, o forse popolate di uccelli tenuti al buio per il sonno, sono i dettagli della "calafatura" della "cellula di miele". Sul piano fonico si noterà la frequenza delle fricative labiali, soprattutto della *f* (12 volte), ricorrente in parole fortemente espressive, che si concentra quasi parossisticamente nel v.7, ma occorre riportare tutto il periodo a cui appartiene:

> Le *f*umate
> morbide che risalgono una *v*alle
> d'el*f*i e di *f*unghi *f*ino al cono dia*f*ano
> della cima m'intorbidano i *v*etri.

Ho segnato anche le *v* che in questo passo collaborano, essendo non grammaticali, e aggiungo "il *v*olo in*f*agottato" della seconda parte. L'effetto complessivo è come d'imbottitura: "muffa" come muffola, e per finire "*F*uori pio*v*e": l'indicazione delle intemperie esterne dà anche la ragione per cui l'interno è così chiuso ed isolato.

Ma questo stesso isolamento, il "tavolo / remoto", porta con sè la coscienza che la "sfera" è "lanciata nello spazio", in balia dell'infinitamente aperto. Così per diversi segni l'aperto si fa presente nel chiuso: le "fumate ... che risalgono", quasi a portare il loro consenso alla chiusura, l'immersione della "cellula di miele" nelle "arnie" mormoranti, la stanza non stagna:

> La stanza ha travature
> tarlate ed un sentore di meloni
> penetra dall'assito.

Finalmente "le vene / di salnitro e di muffa" in rappresentanza dell'umidità di fuori. Sarà appena il caso di far notare che le "vene", come l'"alberaia" e il resto, potrebbero essere già i segnali di lei, l'invito a ricercarla, ai quali risponde invece un'assenza motivata con parole abbastanza coperte:

> La vita
> che t'affabula è ancora troppo breve
> se ti contiene.

Nota il poeta: la vita "che ti fa materia di fabula", di rappresentazione teatrale, il luogo dove hai un ruolo. Ma la difficoltà non è in questa parola, a cui non disconviene neppure il significato di "convincere", "sedurre", ma nell'apparente controsenso di tutta la frase, che non bisogna togliere spiegando "se ti contiene" come "benché ti contenga" o "se pure ti contiene", che è un cincischiamento. Bisogna intendere, con un doppio valore di "vita" che è per il poeta una "ricchezza"[16]: La *tua* vita (autentica, interiore) è troppo breve se *quella* vita (che ti affabula, esteriore) ti contiene per intero. E questa è naturalmente la ragione per cui la donna non appare nell'icona:

> Schiude la tua icona
> Il fondo luminoso. Fuori piove.

Monopolizzata dal teatro del mondo esterno, ella non appare nel teatrino (l'icona) del mondo interiore. E come l'evocazione fallisce, il mondo esteriore del soggetto si fa ancora avvertire: "Fuori piove."

[16] BC, p. 930.

Come nella prima parte la stanza apparentemente chiusa e stuccata tutt'attorno reca tanti segni dell'esterno, così l'aperto della seconda tende costantemente al chiuso. Ma è utile, per orientarsi nell'apparente affastellamento di questi ventotto versi, provvedere a una distinzione che dà già un'idea della struttura, se non ancora del valore di essa. La prima divisione è in tre parti: vv.1-14 (A), vv.15-21 (B), vv.21-28 (C). La prima parte (A) si divide a sua volta nei vv.1-7 (A1) e 8-14 (A2), e fin qua abbiamo una sorta di stanza di canzone, coi due piedi A1 e A2 e la sirima B+C. Più minutamente, A1 si divide in A11 (vv.1-4 fino a "profondissimo") e A12 (da v.4 "tu seguissi" a v.7); A2 in A21 (vv.8-10) e A22 (vv.11-14); la terza parte C in C1 (vv.22-24) e C2 (vv.25-28). Si noterà che A ha lo stesso numero di versi di B e C insieme, che A11 e A12 hanno lo stesso numero di versi, se si assegna il v.4 metà all'una metà all'altra, che A21 e A22 hanno rispettivamente tre e quattro versi come C1 e C2. Tutte le parti che abbiamo distinto sono formate da un numero intero di versi, tranne A11 e A12, ma questo è un risultato abbastanza normale del verso lungo, col suo andamento salmodiante che non invita all'*enjambement*. La gravitazione verso l'interno, il chiuso, è sensibile soprattutto in A: delle "fragili architetture" sono immediatamente visibili i "cortili quadrati" e di questi il "pozzo profondissimo"; si diceva del pozzo che sostituisce il camino, e infatti le architetture sono "annerite ... dal carbone". Gli "uccelli notturni" volano avvolti nel folto piumaggio come se si portassero dietro le coperte del letto; la Galassia non solo chiude questo mondo come "fascia d'ogni tormento", ma è anche vista riflessa nell'"allucciolio" "in fondo al borro"; i "trapunti delle stelle" accennano a un cielo come un panno *capitonné* teso al disopra della testa. La "lente tranquilla" (B) quindi estremizza le tendenza di tutto A, e di A1 in particolare. In C2 si può dire che interno ed esterno coincidono.

Ma oltre a questa tendenza centripeta, in A11 il pozzo è "profondissimo", e non sto a dire che la Galassia sia precipitata nel borro; in A21 si osserva il "cadere di archi, di ombre e di pieghe", e soprattutto in A22:

> l'occhio del campanile è fermo sulle due ore,
> i rampicanti anch'essi sono un'ascesa
> di tenebre ed il loro profumo duole amaro.

In C1 gli zoccoli che "dànno scintille" e le "vampate di magnesio" costituiscono un dialogo dell'alto col basso, come in C2 ancora una volta "il gocciolio ... scende a rilento", uniforme, onnipervadente. Notiamo ancora che A11 e A21 si oppongono a A12 e A22 come (relativamente) più chiuso a più aperto; e questa opposizione s'incrocia con quella fra A1, dove persiste un'ipotesi di compagnia ("E tu seguissi", "tu seguissi") e A2, dove il soggetto è solo e la sua nozione di sè si allarga a chiunque "va solitario", assediato dalla perentoria intenzionalità delle cose che lo circondano. La solitudine, sottolineata dal "passo" che "va a lungo nell'oscuro", sfocia in un allarme – emotivo-intellettuale, s'intende – che trova espressione nel "troppo" esclamativo ("le stelle hanno trapunti *troppo* sottili"), ripreso poi all'inizio di C: "Son *troppo* strette le strade ..." Mette conto distinguere i diversi usi di questo avverbio di largo uso nella poesia di Montale. Può essere anzitutto un "molto" emotivamente connotato, come in *Quasi una fantasia*: "e delle giostre d'ore *troppo* uguali / mi ripago", o in *Arsenio*: "oh *troppo* noto / delirio", o, sull'altro versante dell'opera, in '*Ezekiel saw the wheel*': "suoi tuoi [capelli] / d'allora, *troppo* tenui, *troppo* lisci"; può anche introdurre una sorta di consecutiva; qui nella prima parte: "*troppo* breve / se ti contiene", in *Lungomare*: "*troppo* tardi / se vuoi esser te stessa!", in *Per album*: "ero / già *troppo* ricco per contenerti viva". Quando la conseguenza è taciuta, perché indefinita o inesprimibile, ci ritroviamo il "troppo" esasperato che ci occupa qui: in *Eastbourne*: "e il giorno è *troppo* folto", in *Tempi di Bellosguardo II*: "é *troppo* triste / che tanta pace illumini a spiragli ...", in *Personae separatae* (1942): "*Troppo* / straziato è il bosco umano, *troppo* sorda /quella voce perenne, *troppo* ansioso / lo squarcio ..." Mi sembra che non ci siano altre occorrenze di questo tipo, limitato, come si vede, all'acmé della poesia montaliana.

Abbiamo osservato che in A gli aspetti del paesaggio e la collocazione del soggetto si dispongono ordinatamente: resta a vedere la loro direzione, la loro "intenzionalità" contro la quale si appunta il primo "troppo". Si riconoscerà nell'"allucciolio della Galassia" nel fossato la versione notturna del "vasto / interminato giorno che rifonde / tra gli argini, quasi immobile, il suo bagliore" di *Barche sulla Marna*, e anche il "riflesso eterno / di farfalle sull'acqua"; il profumo dei rampicanti è anticipato dalle "fienagioni / che stordissero intense" della variante. Il "borro" (e anche il campanile, che pure, con la sua ora apparentemente ferma, accennna alla "lente tranquilla") hanno, nel sistema montaliano, un significato sessuale ben noto: ed è una sessualità onnipresente, benché poco sollecitante, vissuta nei simboli che il paesaggio offre via via: è un'esperienza che la solitudine conosce. E a colmare tutto questo, la seduzione finalmente esplicita del profumo dei rampicanti che "duole amaro", che è un'aggiunta di seduzione in un mondo dove la vitalità non è gioiosa.

Scontato l'ineliminabile tormento e dolore, d'altronde intravvedibile anche dietro "il domani velato che non fa orrore", il mondo a cui la seduzione invita è, come la "pigra illusione" dell'*Elegia*, una prospettiva facile, sottratta alle esigenze di regolarità, alla scansione della "processione" e delle "svolte" del primo paradiso: un mondo serale e notturno anziché mattinale. È anche un mondo tipicamente antieroico, mentre eroico è, per quanto Montale non usi la parola consunta dal linguaggio dell'epoca, ciò che egli chiede alla sua esperienza. "Il volo infagottato degli uccelli notturni" è il suo emblema, e ricordiamo da *Arremba su la strinata proda*: "Nel chiuso dell'ortino svolacchia il gufo", e l'esortazione al sonno rivolta al "fanciulletto padrone". Un altro emblema (e due emblemi fanno un archetipo) ci è offerto da una poesia di Marianne Moore, *The hero*[17], dove il terreno fangoso (*sour*), le erbe alte come steli di fagiolo (i rampicanti) e gli "uccelli notturni" sono proprio fra le cose che l'eroe non ama:

> Where the ground is sour; there are
> weeds of beanstalk height ...
> ...
>   and so
> on – love won't grow.
> We don't like some things, and the hero doesn't ...
> The hero shrinks
> as what it is flies out on muffled wings, with twin yellow
> eyes – to and fro.

Ma l'"ascesa di tenebre" dei rampicanti non è solo di ordine sessuale: trent'anni dopo il poeta ne darà la chiave nei quattro versi disebriati com'è dell'opera tarda di *Come Zaccheo* (in Diario del '71):

> Si tratta di arrampicarsi sul sicomoro
> per vedere il Signore se mai passi.

[17] MARIANNE MOORE, *Le poesie*, Milano, Adelphi, 1991, p. 24.

Ahimè, non sono un rampicante ed anche
stando in punta di piedi non l'ho mai visto.

Sia lecito intendere il "rampicante" come un vegetale e non (non solo) come "uno che si arrampica".

Così questo mondo si tende verso "il Signore" al di fuori della regola autosufficiente, della scansione dei "domani" del primo paradiso di *Barche sulla Marna*, anzi tanto maggiore è la tensione, quanto più vitalmente confuso è il suolo su cui si leva, quanto più, dicevamo, "affastellati" i dettagli di cui il terreno è ingombro. Ad esso risponde, nei primi tre versi di C (C1):

Son troppo strette le strade, gli asini neri
che zoccolano in fila dànno scintille,
dal picco nascosto rispondono vampate di magnesio,

un'altra regola e scansione che è quella della religiosità positiva. Notiamo che questo "troppo" che qualifica la strettezza della strada, non segnala un massimo d'intensità quale può trovarsi nel profumo dei rampicanti, ma un particolare relativamente secondario come i "trapunti" "troppo sottili" delle stelle, e non per caso perché A22 e C1 sono costruiti parallelamente, in crescendo, e le "vampate di magnesio", nella stessa posizione in C2 che il profumo in A22, segnano come questo il momento culminante della propria sezione. Immagino che le luci intermittenti siano dovute allo scoppio delle mine, perché lungo il versante orientale dell'Amiata correva la fascia delle miniere. Se allora le file degli asini, come si può supporre, trasportano il minerale, quell'"Uno qualsiasi dei tre o quattro paesi di là"[18] è Abbadia San Salvatore, dove il materiale veniva trattato. A me tuttavia, se è scusabile procedere in un tentativo di identificazione forse frivolo, il "picco nascosto" suggerisce che le vampate appaiano al di là del picco, dall'altro lato del vulcano, e quindi il luogo sia piuttosto Arcidosso sul versante occidentale, di dove era partito il movimento religioso-sociale del Lazzaretti, pure ricordato nell'autocommento. Può anche darsi che si siano sovrapposti due ricordi vicini, e infatti nella memoria del poeta l'Amiata è rimasto come luogo o nome collettivo, come risulta dalla postuma *Come madre*[19]:

[18] Autocommento in BC, p. 936.

[19] In E.M., *Diario postumo*, Milano, Mondadori, 1991, p. 26.

La luce che diffonde il Monte Amiata
quando il sole declina,
la folata di vento che all'orizzonte
s'avvicina: questo vorremmo possedere,

dove non c'è traccia di mine o di miniere ma è rimasto il vento che invece, in *Notizie*, "tarda". Quale che sia l'utilità di questo tentativo di individuare il fenomeno che ha suggerito le "vampate di magnesio", è una conferma che la lettura può obbedire fiduciosamente alle necessità del simbolo; si può tuttavia ritenere il tratto di mondo medio, "mondo del lavoro".

Il poeta commenta ancora[20]: "Dal picco effetti di luce imprecisati ma quasi artificiali", che se va d'accordo con quanto appena detto, non c'illumina sul valore preciso della "vampata". Che infatti si definisce negativamente, perché è l'accensione che non arriva ed essere "un lampo", a trasfigurare il mondo, come quello che ne *La bufera* "candisce alberi e muri ...": ricordiamo il "vampo di solfo" in *Delta*, "e nell'acqua un avvampo / di tende da scali e pensioni" in *Dora Markus II*; in *Palio* "troppa vampa ha consumato / gl'indizi che scorgesti", come a dire che l'esperienza s'era accesa senza trasfigurarsi, ed è, come vedremo, un giudizio d'insufficienza; l'occorrenza in *Finestra fiesolana*: "Altra luce che non colma, / altre vampe" è quasi una definizione. Ne *Il ramarro, se scocca*, la "luce di lampo" è addotta come paragone possibile alla presenza di lei, al "*suo* stampo": la distinzione, o meglio la scalatura, è ben netta. Un caso dubbio sembra quello de *L'orto*:

là dove acri tendine
di fuliggine alzandosi su lampi
di officine celavano alla vista
l'opera di Vulcano;

Se i "lampi / di officine" non sono i bagliori degli stabilimenti incendiati, e "l'opera di Vulcano" è piuttosto il lavoro che la distruzione ad opera del fuoco, non siamo lontani dalle "vampate di magnesio". Ma sicuramente di guerra si parla in *Anniversario*: "Arse a lungo una vampa; sul tuo tetto, / sul mio, vidi l'orrore traboccare".

[20] BC, *ibidem*.

Le vampate rispondono, in segno di ricevuta e assenso dall'alto, alle scintille levate dagli zoccoli degli asini, ignari certo di provocare i segni della rivelazione dal "picco nascosto", quasi un Horeb: la penetrazione del religioso nel naturale scende fino al livello animale, agli asini e ai porcospini, che sono ancora un gradino più in basso: "immagini di bestiario", come nota il poeta nell'autocommento, emblematiche quindi, che significano senza saperlo. D'altronde la strada stretta, se aggiunge alla luminosità delle scintille, è anche facile simbolo della fatica e dell'angustia della vita regolata, e ci porta direi irresistibilmente nella direzione delle "donne barbute" e degli "uomini-capra": è il rischio costante dell'elezione gnostica, della coscienza di appartenere allo πνεῦμα , di riflettersi in differenza antropologica. Non trovo nulla da accostare alle scintille come fenomeno luminoso, soprattutto per quanto riguarda l'intermittenza, ma una luminosità tenue, in opposizione col lampo, è un segnale tipico del mondo religioso. Ne parleremo più oltre, lasciando qui in pegno un paio di versi de *Il gallo cedrone*:

> Ora la gemma
> delle piante perenni, come il bruco,
> luccica al buio.

Si comprende ora a che cosa "reagiscono" i sette versi di B: per tutta la prima parte il paesaggio e le sue seduzioni si protendono verso il religioso col quale al di sopra di quei versi vorrebbero saldarsi, riconoscendovi la propria subordinazione e ragion d'essere: la collocazione di B è estremamente strategica. Si tratta di sventare, come d'altronde non è possibile, l'incombere di una creaturalità rassegnata, lavoro e preghiera e memoria uniforme, ed anche di salvare in questo che non è più alcun paradiso, un proprio ruolo nel succedersi delle generazioni:

> Oh il gocciolio che scende a rilento
> dalle casipole buie, il tempo fatto acqua,
> il lungo colloquio coi poveri morti, la cenere, il vento,
> il vento che tarda, la morte, la morte che vive!

"L'acqua fatta tempo" vorrebbe dire che la vitalità determina l'arco della vita, ma qui al contrario è questo a stabilire i limiti di quella entro un decorso da sempre assegnato. Ma non c'è alcun orrore, la morte non è l'orco che divora la gente, ed è diretta verso la vita: "la morte che vive". Lo stesso pensiero nelle strofette di *Palio*, e l'espressione è ambigua lì come qui: "La morte non ha altra voce / che quella che spande la vita": l'unica voce della morte spande la vita. Ora si noti che "il vento, / il vento che tarda" non solo è al di fuori del contesto meteorologico dei due primi versi, ma condivide lo stesso stampo ritmico con "la morte, la morte che vive", non è quindi il vento che persiste come la pioggia, ma è il "vento del nord" che non soffia ancora, e la sua assenza è parte del mondo dove "la vita continua". E si comprende che la morte vive, prolifera, proprio perché il vento tarda. Che se invece si levasse, rendendo invivibile quel mondo col suo gelo e la sua violenza, allora disferebbe il nodo di vitalità e religione, costringerebbe a rifugiarsi al di là della nascita, a cristallizzarsi sotto la "lente tranquilla", prima che germoglino le "spore del possibile".

A questo punto gli undici versi della terza parte, trasparenti e misteriosi a un tempo, dovrebbero essere minutamente interpretabili:

> Questa rissa cristiana che non ha
> se non parole d'ombra e di lamento
> che ti porta di me? meno di quanto
> t'ha rapito la gora che s'interra
> dolce nella sua chiusa di cemento.

Per la "rissa cristiana" abbiamo l'indicazione del poeta stesso[21]: "La rissa dell'anima e del corpo, la *rixa* di cui esistono saggi nelle lett. popolari." Veramente la "rissa" che domina nella poesia, è fra il religioso e l'estatico, il terzo(C) e il secondo (B) segmento della seconda parte, e non penso che il lettore possa averne in mente un'altra; ma – facciamo un passo indietro – qual è l'apropositο della "lente tranquilla", dei sigilli apposti ai "semi dei possibile"? Ma anche il secondo paradiso di *Barche sulla Marna* è un luogo dove "neque nubent neque nubentur", e anche in questa parte della poesia la donna è assente, o più precisamente, presente in modo copertamente polemico ai pensieri del soggetto. È per quanto ha di connotazione celibataria, monastica che la "lente tranquilla" può stare in opposizione, in "rixa" "endocristiana" con la vita fatta di corpo e anima.

[21] BC, p. 936.

È anche vero che ne *La cultura* (in *Quaderno di quattro anni*) si afferma che se Marcione (e Ario) avessero trionfato, "il mondo avrebbe scritto la parola fine / per sopraggiunta infungibilità", mettendo così l'encratismo almeno ai margini del cristianesimo: la rissa non va senza una certa "torsione".

Una gora è, per il prepotente ricordo dantesco (*Inferno*, VIII, 31) tipicamente morta, come anche qui appare. Ma propriamente una gora è una derivazione di un corso d'acqua maggiore, per servire un mulino o una gualchiera, e tale è l'antefatto della "gora che s'interra" (neppure le gore di *Corrispondenze* (1936) "a specchio delle gore" suggeriscono un'acqua stagnante). Quella che ora convoglia una corrente scarsa e torpida è stata, al tempo della vitalità giovanile, un ricco canale di comunicazione, quale il poeta vedrà ripristinato e superato in *Nel sonno*:

> I gemiti e i sospiri
> di gioventù ...
> tutto questo
> può ritornarmi, traboccar dai fossi,
> rompere dai condotti, farmi desto
> alla tua voce.

La poesia è già stata discussa, ma notiamo come si adatta per diritto o per rovescio al nostro testo, per il "ritornarmi", come a smentire la dichiarazione di calato vigore, e il "farmi desto / alla tua voce", che inverte la situazione comunicativa non solo nelle persone, ma anche nel loro modo di reagire. Un ritorno esatto e (apparentemente) senza simboli troviamo ne *Il lago di Annecy*, nel *Diario del '71*:

> Non so perché il mio ricordo ti lega
> al lago di Annecy
> che visitai qualche anno prima della tua morte.
> Perché può scattar fuori una memoria
> così insabbiata non lo so; tu stessa
> m'hai certo seppellito e non l'ho saputo.

Il poeta non si rivolge a Clizia, come risulta da *Ancora ad Annecy*, in *Diario del '72*:

> Allora non pensai al nobiliare ostello
> che t'ha ospitata prima che la casa

dei doganieri fosse sorta, quasi
come una rupe nel ricordo.

La "rupe" del ricordo si frappone fra il passato, che pure sta a rappresentare, e il presente, e certo è quella che nasconde il lago e il diverso destino che sarebbe stato possibile su quelle rive – su quella distesa ancora intatta e tranquilla di carica vitale. Un ulteriore commento sarebbe fin troppo facile, integrando con un po' di fantasia le lacune biografiche. L'inizio del diverso destino sarebbe stato discreto e non invadente:

Potevo
chiedere allora del tuo pensionato,
vedere uscire le fanciulle in fila,
trovare un tuo pensiero di quando eri
viva ...

Ora i cinque versi si leggono: se la gora interrata può portarti poco di me, per la mia scarsa e ostruita vitalità, meno ancora può recarti – ma non sappiamo ancora per quale ragione – la "rissa cristiana", quale che sia. Una conclusione di completa assenza: ma le cose non sono così semplici, si veda oltre.

Una ruota di mola, un vecchio tronco,
confini ultimi al mondo. Si disfà
un cumulo di strame.

È cessata la tensione fra l'interno e l'esterno, che dominava nei suoi due modi opposti le prime due parti, anzi gli oggetti tipici dell'esterno – chiuso a sua volta perché è un cortile o un'aia – sono "confini ultimi al mondo". La "ruota di mola" è immobile, è una ruota che non gira più, ma quante di queste ruote ossessive sono disseminate lungo il percorso di Montale: "la ruota / che in ombra sul piano dispieghi" in *Fuscello teso dal muro*, "le giostre d'ore" in *Quasi una fantasia*, "i giri di ruota della pompa" in *Casa sul mare*, "le ruote dei carriaggi senza posa" ne *Il carnevale di Gerti* (questa cava d'immagini in attesa di riutilizzo); "m'agita un carosello che travolge / tutto dentro il suo giro" e più sotto "vince il male... la ruota non s'arresta" in *Eastbourne*, il "giro di trottola" in *Palio*, La "giostra / d'uomini e ordegni" ne *Il ventaglio*. L'immagine del roteare rumoroso e distruttivo ha un destino non unico: esprime dapprima un modo d'essere della natura, si fissa al suo culmine sulle responsabilità umane, e si estingue dopo qualche uso non più o poco simbolico. Quanto al "vecchio tronco", forse è soltanto un vecchio tronco, ma c'è qualcosa nella prima stesura di *Barche sulla Marna*: "e i tronchi tra i rottami dove il sangue / del drago è simulato dal cinabro", e in *Personae separatae*: "aste di un sol quadrante i nuovi tronchi / delle radure", dove si tratta del "bosco umano", che fa pensare a un segno che abbia rinunciato a significare. E il "cumulo di strame" che "si disfà" ci porta alla "minugia", all'organico che si decompone per far nascere (come non è mai detto) altro organico. I tre oggetti, "ruota di mola", "vecchio tronco", "cumulo di strame" sono in ordine di decomposizione crescente.

> e tardi usciti
> a unire la mia veglia al tuo profondo
> sonno che li riceve, i porcospini
> s'abbeverano a un filo di pietà.

Non abbiamo quasi nulla per l'opposizione del sonno e della veglia, salvo naturalmente "il respiro calmo / di donne che si addormentano" nella variante di *Barche sulla Marna*, che però non ha all'altro capo una veglia estatica. Il legame fra la donna sulla quale sono richiuse "le alte porte" in *La gondola che scivola*, e il soggetto "assorto" è già più prossimo alla situazione di questi versi, ed è una relazione negativa, di comunicazione impossibile. Abbiamo ancora un paio d'esempi in negativo: in *Corrispondenze* (1936): "Ti riconosco, ma non so che leggi / oltre i voli che svariano sul passo"; che sia un precedente è confermato dallo "strame" e dalle "gore" che ricorrono nella seconda strofa. In *Casa sul mare* abbiamo un negativo esatto:

> Ne tengo un capo; ma tu resti sola
> nè qui respiri nell'oscurità.

La comunicazione è interrotta, il "filo che s'addipana" ha lasciato "un capo" in mano a qualcuno, l'altro si è perduto. Voltando poi al positivo: la donna non è sola, ed è lì presente col suo respiro, il ricoprimento coi nostri versi è pressoché perfetto. Ancora a quest'ambito apparterrà *Sulla Greve* (1950): "il tuo profondo / respiro vino

..." I porcospini, che sembrano usciti, quasi per generazione spontanea, dal disfacimento dello strame, e con ciò verificano, al livello più elementare, che "la morte ... vive", uniscono "la veglia" al "sonno che li riceve", l'estatico al vitale, senza pronunciamenti eroici, in un loro modo (s'immagina) goffo e impacciato, che ne fa i segni del saldo negativo della vitalità, e quindi bisognosi di pietà, come in *Crisalide*: "vibra nell'aria una pietà per l'avide / radici, per le tumide cortecce". Ma s'immagina che il "filo di pietà", filo a un tempo di comunicazione e di un corso d'acqua, abbia la sua fonte nel religioso, facendo di questa una poesia non certo di assimilazione e identificazione, ma di coesistenza e conciliazione.

La posizione angolare di *Notizie dall'Amiata* premia la sua qualità, ma non corrisponde alla data, 1938; *Palio*, la cui occasione è dello stesso anno, l'*Elegia di Pico Farnese* e *Nuove stanze* sono del 1939; *Il ritorno* della fine dell'anno. Anche dal punto di vista tematico, non dei singoli elementi ma dei rapporti che si stabiliscono fra loro e dell'uso che ne vien fatto, *Notizie* non è un traguardo da superare, ma piuttosto un'isola o un massiccio da aggirare; sicché in questo senso la sua collocazione è relativamente indifferente.

Meriterebbe uno studio il riutilizzo che Montale ha fatto dei suoi miti e dei suoi animali emblematici dopo *La bufera*: si può anticipare che, nel generale smorzamento di tono, non si può comunque parlare di liquidazione, qualche volta forse di travestimento. Anche i porcospini avranno il debito avatar in *A pianterreno* (*Satura II*, 1969):

> Scoprimmo che al porcospino
> piaceva la pasta al ragù.
> Veniva a notte alta, lasciavamo
> il piatto a terra in cucina.
> Teneva i figli infruscati
> vicino al muro del garage.
> Erano molto piccoli, gomitoli.
> ...
> Più tardi il riccio fu visto
> nell'orto dei carabinieri.
> Non c'eravamo accorti
> di un buco nei rampicanti.

Evidentemente non ci sarebbe stato questo porcospino senza il precedente di *Notizie*, e in generale queste reincarnazioni hanno l'ontologia un po' stralunata di un'apparizione che non si vuole più dovuta al simbolo, e non si rassegna ad essere un frammento d'intenerita cronaca domestica. Ma il simbolo non è scomparso: i "rampicanti" sono ritornati nell'ultimo verso dopo che la prima stesura: "che c'era un buco nel muro" ne aveva saputo fare a meno, e non erano suggeriti nè dall'animale che non si arrampica nè dalla posizione raso terra dove i rampicanti non sono ancora tali. Se aggiungiamo a completare la forcella la già citata *Come Zaccheo* nel prossimo futuro, vediamo che il titolo "A pianterreno" è come il programma di una riduzione felicemente non riuscita.

7
PALIO

Anche *Palio*, come *Notizie dall'Amiata*, si lascia inscrivere nelle coordinate che abbiamo individuate in *Barche sulla Marna*, e, come *Notizie*, non s'interpreta senza molto aggiungere a quello schema. Ma qui non abbiamo ad orientarci i grandi blocchi, fra l'altro tipograficamente definiti, di *Notizie*, e l'articolazione tematica è alquanto più complessa. La poesia si data al giugno 1939 ed è preceduta da una prima redazione con varianti apparentemente modeste. In una delle sue ultime poesie, *Nel '38* in *Altri versi* (1978) il poeta ricorda il Palio appunto di quell'anno e la data, "quarant'anni fa", è confermata a giro di pagina in *Quartetto*, dove sono nominati Sbarbaro ed Elena Vivante, "signora di tutti noi". Se la fotografia pubblicata da Franco Croce[1] è la "foto giallo sudicia, / quasi in pezzi", di cui si parla in queste poesie, allora i gitanti erano sei, non quattro. La giornata memorabile è ricordata nel *Giglio rosso* ("torri, / gonfaloni vincevano la pioggia") come episodio dell'iniziazione fiorentina di Clizia.

Una caratteristica importante di *Palio*, che non è poca parte della sua complessità, è la sua stratificazione in piani diversi, dal punto di vista sia assiologico sia temporale. La stratificazione assiologica è in sostanza l'oggetto del presente studio; dell'altra, che naturalmente non è indipendente dalla prima a cui fornisce come un *embedding*, sarà bene allineare, per entrare in tema, alcune occorrenze, p. es. vv.10 sg.:

> troppa vampa ha consumato
> gl'indizi che scorgesti ...

nella prima stesura "le consumate / vestigia d'un giorno", v.30 "la luce di prima" che ha sostituito "la luce d'allora", vv.32-34 l'introduzione alle "strofette":

[1] Franco Croce, *Storia della poesia di E.M.*, Genova, Costa & Nolan, 1991, p. 43.

Torna un'eco di là: 'c'era una volta...'
(rammenta la preghiera che dal buio
ti giunse una mattina),

che ha subito un cambiamento importante dalla prima stesura:

Come allora, lo sai: 'c'era una volta...',
(ricorda il ritornello che ti giunse
dal buio una mattina assai lontana),

al v.56 "C'era *il* giorno / dei viventi", dove l'unicità di *quel* giorno esprime anche la distanza dell'"era". La versione definitiva ha decisamente sfumato questa dualità di piani, attenuando felicemente un certo taglio giudicante: dualità che va tuttavia ricuperata, se si vuole intendere che cosa *succede*.

Nell'apertura della poesia, vv.1-19, non sono ancora due piani, che bisogna pensare compresenti; sono piuttosto l'inizio e la fine di una "corsa", di una storia, e di che cosa sia la fine è sintomatica la mancata reazione della donna allo spettacolo dello sbandieramento, vv.9 sgg.:

Il lancio dei vessilli non ti muta
nel volto; troppa vampa ha consumati
gl'indizi che scorgesti; ultimi annunzi ...

Il "lancio dei vessilli" è una, l'ultima di una serie di manifestazioni numinose, chiamate qui "indizi", nella prima stesura, come abbiamo visto, "vestigia": similmente gli "annunzi" erano un "dono": la correzione tende a diminuire il ruolo dominante dell'istanza che non offre più, ma ormai soltanto si lascia scorgere per indizi, non per le sua chiare tracce, "vestigia", ma per segni da interpretare. La "vampa" (per la parola rimandiamo al capitolo precedente), la passione con cui si è venuti incontro a queste manifestazioni, le ha "consumate", le ha rese inefficaci per difetto di corrispondenza, perché è questa che di fatto si consuma. A questo "consumare" possiamo avvicinare da *Due nel crepuscolo*: "Pochi istanti hanno bruciato /tutto, di noi", che appartiene al rifacimento del 1943.

ultimi annunzi
quest'odore di ragia e di tempesta

imminente e quel tiepido stillare
delle nubi strappate ...

La lettura esatta di questi versi mi fa qualche difficoltà perché il "tiepido stillare / dalle nubi strappate" è segno a mia esperienza del finire della "tempesta", che quindi si sarebbe sfogata lungo il viaggio per Siena e sarebbe ormai sul punto di terminare; questa semplice spiegazione è confermata dal passo citato de *Il giglio rosso*. Non si accorda tuttavia colla posizione degli aggettivi "questo" e "quel", che si vorrebbero magari invertiti; con qualche sforzo si può spiegare il testo così com'è, intendendo che il temporale già quasi terminato nel corso del viaggio fosse *ancora* "imminente" a Siena. In ogni caso l'"ultimo dono" o gli "ultimi annunzi" possono ben riferirsi, oltreché al complesso dei fenomeni atmosferici, alla tempesta in particolare come episodio centrale. Ma il "dono" e gli "annunzi" non sono gli "ultimi" solo in ordine di tempo, ma anche come estremi tentativi (del destino nei confronti della *Seelenlage* della donna, che immaginiamo anch'essa "bruciata" dalle ripetute esperienze, e giunta a un certo grado di *blasé*. Non è una situazione nuova, e l'abbiamo discussa nel cap. 4 (*La gondola che scivola*): la Clizia che compare qui è la donna d'avventura, quale è più volte ricordata nelle estreme poesie di Montale: avventura culturale, si veda in *Clizia dice* (in *Altri versi II*): "il bovindo sul quale si stette ore / spulciando il monsignore delle pulci" e soprattutto in *Poiché la vita fugge*:

C'era una volta un piccolo scaffale
che viaggiava con Clizia, un ricettacolo
di Santi Padri e di poeti equivoci che forse
avesse la virtù di galleggiare
sulla cresta delle onde
quando il diluvio avrà sommerso tutto,

dove si raggiunge, nel retrogradare del ricordo, la figura di *Liuba che parte*; avventura ideologica, per la quale abbiamo già portato qualche testo, e aggiungiamo da *Nel '38*: "Più tardi mi dissero / che bordeggiavi a 'sinistra'"; e avventura genericamente umana, che non è necessario supporre o "dedurre". Continua infatti *Palio*:

Tardo saluto in gloria di una sorte
che sfugge anche al destino,

nella prima versione "che vince anche il destino". Se il "destino" deve distinguersi dalla "sorte", dall'accadere empirico soggetto ai capricci del caso, non può essere che "geprägte Form", e infatti il destino è, in *Dora Markus II*, ciò che "non si cede" (ne abbiamo già parlato). Allora, se "vincere il destino" può ancora contenere un complimento (come in *Nuove stanze* gli "occhi d'acciaio" che "vincono il premio della solitaria / veglia"), "sfuggire al destino" non può significare che distrarsi, strapparsi alla propria natura: che è la contestazione che il poeta rivolgerà alla donna in *Finisterre*. *His freti*, leggiamo i primi versi:

> La tua fuga non s'è dunque perduta
> in un giro di trottola
> al margine della strada:
> la corsa che dirada
> le sue spire fin qui
> dove un tumulto d'anime saluta
> le insegne di Liocorno e di Tartuca.

"La tua fuga", e in apposizione "la corsa" avrebbe potuto perdersi come la rotazione della trottola quando esce di "strada": dal percorso utile o anche dal battuto, sicché si arresta. È in questo smarrirsi che le spire della trottola "diradano", perché in una corsa ben diretta, come questa che termina nella cavità della Piazza del Campo, dovrebbero piuttosto infittirsi. Ma, per quanto giunta a buon fine, dov'è finita la corsa!, perché la piazza, "la purpurea buca", è un girone dell'inferno, il nome della corsa è sinonimo del "panno verde" di *Inferno*, XV,122, e la folla è un "tumulto d'anime": l'evidente connotazione infernale sarà mantenuta e ripresa ai vv.54 sgg.; e se non succedesse nel mezzo la transvalutazione in che la poesia consiste, troveremmo la donna a fare i suoi giri di punizione "finché spunti la trottola il suo perno".

Succede infatti che nello spettacolo della corsa appare l'annunzio che si credeva perduto, la vampa che si credeva consumata: inaspettatamente, "È strano:"

> tu
> che guardi la sommossa vastità,
> i mattoni incupiti, la malcerta
> mongolfiera di carta che si spicca
> dai fantasmi animati sul quadrante

dell'immenso orologio, l'arpeggiante
volteggio degli sciami e lo stupore
che invade la conchiglia
del Campo, tu ritieni
tra le dita il sigillo imperioso
ch'io credevo smarrito
e la luce di prima si diffonde
sulle teste e le sbianca dei suoi gigli.

Parafrasiamo alla svelta: tu contempli la scena nella sua vastità e varietà, ed ecco che ti ritrovi in mano il segno del tuo potere, in virtù del quale la folla appare stranamente mutata. Ma i momenti della vicenda sono tre, e il primo e più importante rischia di passare inosservato: il sorgere, o piuttosto il campeggiare nel cielo, al di sopra della torre del Palazzo Pubblico, della luna, la "malcerta / mongolfiera di carta"; la sapiente dissimulazione non era ancora perfetta nella prima stesura: "i mattoni che abbagliano, la grande / mongolfiera di carta appena sorta", dove, se non sbaglio, i mattoni "che abbagliano" sono un anticipo dei vv.56 sgg. Mistero nel mistero: i "fantasmi animati", che ci portano su una linea trasversale e incidente: quella identificata dall'Avalle cit. nel commento a *Gli orecchini*, per inserirvi le "molli / meduse della sera". Abbiamo incontrato su questa linea *Cigola la carrucola del pozzo* e *Vasca*, dagli *Ossi di seppia*, e *Gli orecchini* e *Serenata indiana* dalla *Bufera*: qualcosa cerca di affiorare nel cerchio del pozzo, della vasca, dello specchio, ma una forza o figura ostile viene a trascinarlo di nuovo al fondo. L'avvenimento conserva connotati naturalistici nelle poesie degli *Ossi*, così nella prima: "si deforma il passato, si fa vecchio / appartiene ad un altro", e in *Vasca*: "se lo guardi si stacca, torna in giù: / è nato e morto, e non ha avuto un nome", mentra nella *Bufera* ha, come sappiamo, carattere infernale: avvenimento spirituale che, stante la potenza del nemico ("ma io farò dell'altro altro governo") ha vistosi effetti materiali. D'altronde gli estremi della forcella sono direttamente collegati: all'"appartiene ad un altro" di *Cigola la carrucola* risponde dalla *Serenata indiana* "tu gli appartieni". Orbene, la luna, quasi immersa nella "spera" (la parola ricorre due volte in questa serie, benché non in *Palio*) dell'"immenso orologio", è come se fosse trattenuta da queste vite fantomatiche e ostili, e se ne libera, se ne "spicca". Questo si allinea perfettamente con la funzione della luna come andiamo a esporla di seguito.

La luce lunare è vista anche altrove come un sedimento argentato sulle superfici e sui rilievi; abbiamo i precedenti del 1932:

> *Cave d'autunno*
> / su cui discende la primavera lunare
> e nimba di candore ogni frastaglio,

e *Altro effetto di luna* che la segue nella raccolta: "la trafila / delle dita d'argento sulle soglie", e del 1933, *Bassa marea*:

> Una mandria lunare sopraggiunge
> poi sui colli, invisibile, e li bruca.

Si noti però che ora la luna è vista di giorno, come il "plenilunio pallido nel sole" di *Barche sulla Marna*, con lo stesso valore contemplativo, e un'esplicita funzione spirituale. E infatti l'inargentare delle teste è espresso con termini di derivazione dantesca, *Purgatorio*, XXIX,84 "coronati venian di fiordaliso" (di fleurs de lis, di gigli) e 145-147:

> E questi sette col primaio stuolo
> erano abituati; ma di gigli
> intorno al capo non facevan brolo.

Nella prima stesura, con derivazione anche più evidente, stava "infiora" invece di "sbianca".

Così la folla dei dannati che sciamano arpeggiando nella "conchiglia del Campo" è mutato, o meglio raddoppiato, in un'assemblea di penitenti al termine della penitenza. Perché questa è la "luce di prima": lo spiegamento delle possibilità del religioso dove la dannazione non sta senza una prospettiva di salvezza, aperta anche alla donna se e in quanto di quel mondo religioso è ancora partecipe. Qui finalmente possiamo parlare di piani simultanei perché, come abbiamo notato, la connotazione infernale non è affatto cancellata.

La funzione del "sigillo imperioso" non è per il momento del tutto chiara, ma è possibile circoscriverne il modo, se non assegnarne il fine: in primo luogo, si tratta di un dono, come la trasfigurazione della folla, ma se di questa è irrilevante la storia, onde lo sdoppiamento di piani, il sigillo è, come la dracma del Vangelo, un ritrovamento, e un ritrovamento imprevisto, sicché nessuno "accendit lucernam et everrit domum suam" (Luca, XV,8). Il sigillo è anche il contrassegno personale, il destino che "non si cede". Finalmente l'"imperioso", che ritornerà ne *Gli orecchini*: "il forte imperio / che ti rapisce", sembra un prestito implicito, il riutilizzo di uno scarto dell'*Elegia di Pico Farnese*, che recava in prima stesura "messaggera imperiosa", giudicato dal poeta, che vi rinunciò malvolentieri, "il centro della poesia, la massima elevazione di tono"[2].

Notiamo ancora che il "sigillo imperioso" che più sotto si preciserà come un rubino, non ha nessuna probabilità di essere una delle pietre che la donna di fatto porta su di sè, come intende *en passant* D'Arco Silvio Avalle[3]. Perché queste servono a riassumere personalità e carattere e non sono mai nulla di molto prezioso; così troviamo ne *Gli orecchini* "le tue pietre, i coralli", ne *La frangia dei capelli* "le giade ch'hai / accerchiate sul polso", ne *Il ventaglio* "Luce la madreperla", ne *Il tuo volo* "gli amuleti", per non parlare del topolino d'avorio di Dora Markus. Per contro i gioielli, le pietre trasparenti sono riservate all'uso metaforico (e metafisico); ne *La trota nera* "il suo balenio di carbonchio", in *Verso Finistère* "le tue pupille d'acquamarina", in *Iride* "záffiri celesti" (ma è il colore del cielo), ne *L'orto* "cuore d'ametista": e neanche questo campionario sembra di gran pregio. La lussuosità dell'arredo montaliano è stata esagerata, p. es. dall'Avalle cit., p. 24: "non è escluso che si possano vedere [nella stanza de *Gli orecchini*] ancora bagliori di anelli e orecchini": è vero però che il suo scopo è definire l'illuminazione di un ambiente.

Con questo è data alla donna una salvezza privilegiata, che ne fa la comprimaria dell'avvenimento della luna, nell'attesa ch'essa ricuperi, nella strofa (e strofette) seguente, la sua figura e collocazione "di prima". Le strofette sono abbastanza misteriose, e hanno un passato oscuro che occorre studiare. Io ne vedrei l'inizio in *Costa San Giorgio* (1933):

> I lunghi mesi
> son fuggiti così: ci resta un gelo
> fosforico d'insetto nei cunicoli
> e un velo scialbo sulla luna.

[2] Lettera a Bobi Bazlen, in BC, p. 928.
[3] *Tre saggi su Montale,* Torino, Einaudi, 1973, p. 46.

Che cosa resta di che cosa? C'è una storia personale che si apre con una sorta di strappo nel sistema del mondo:

> lo stridere degli anni fin dal primo,
> lamentoso, sui cardini,

(dobbiamo integrare con *Stanze*: "l'urto delle / leve del mondo apparve da uno strappo / dell'azzurro, l'avvolse, *lamentoso*" [cn], e retrocedere fino alle poesie di *Ossi di seppia*, come *Non rifugiarti nel folto*, per fare un titolo, che abbiamo discusse nel cap. 3: la storia comincia con un movimento d'individuazione), uno strappo doloroso e vano: "Tutto è uguale, non ridere", che è solo deterioramento: la "stupida discesa", o giro a vuoto:

> Lo so, non s'apre il cerchio
> e tutto scende o rapido s'inerpica
> tra gli archi,

ciò che non decade sfugge per la verticale alla presa. C'è poi la decadenza di una figura, legata all'ascendenza e al destino, alla "leggenda" (*Dora Markus II*) di lei:

> Un dì
> brillava sui cammini del prodigio
> *El Dorado*, e fu lutto fra i tuoi padri.

(La donna è evidentemente la peruviana). Ma in questo momento la figura ha i connotati di un Cristo in croce:

> Ora l'Idolo è qui, sbarrato. Tende
> le sue braccia fra i càrpini: l'oscuro
> ne scancella lo sguardo. Senza voce,
> disfatto dall'arsura, quasi esanime,
> l'Idolo è in croce.

Era "Idolo" l'uomo d'oro come è già Idolo un Cristo muto e senza volto: di qui la doppia occorrenza. Quello che cadrà fra poco sarà un "fantoccio":

> Se una pendola rintocca
> dal chiuso porta il tonfo del fantoccio
> ch'è abbattuto.

Questa parzialissima spiegazione ha il solo scopo di motivare l'inserimento dei "lunghi mesi" nella nostra serie: un'interpretazione meno frettolosa sarà data nell'appendice in fondo al capitolo. Quello che resta in fondo a questa doppia vicenda è un luogo quasi inaccessibile (i "cunicoli"), dove la fede che è passata dalla gloria mondana e luttuosa alla demolizione della Croce è una tenue luce al livello minimo di organizzazione (gli "insetti"): discesa e decomposizione. Fuori dei "cunicoli" "un velo scialbo sulla luna" che associamo direttamente alla luna pomeridiana di *Palio*. Questo residuo luminoso ha a sua volta un precedente, per così dire, "non in asse", in *Dora Markus I* (1928):

> E qui dove un'antica vita
> si screzia in una dolce
> ansietà d'Oriente,
> le tue parole iridavano come le scaglie
> della triglia moribonda.

Dobbiamo pensare alle chiese di Ravenna (l'"antica vita") e ai loro mosaici: luogo chiuso e illuminazione a "barlumi", benché il complesso sia, come si è detto, diversamente orientato, scivoli da sè verso l'Oriente, con un movimento concorde alle parole di lei, alla sua nostalgia per la sua "patria vera" e il suo destino. Il rapporto col pesce scalfito dell'*Elegia di Pico Farnese* salta agli occhi, ma sostiamo un momento per annotare i tratti del luogo della fede perduta: sotterraneo, gelo, residui di vita elementare, vaga illuminazione. Parlo di "luogo" come il solaio, l'androne ecc. sono i luoghi del ridisporsi alla nascita. Ed ora la seconda strofetta dell'*Elegia*:

> Grotte dove scalfito
> luccica il pesce, chi sa
> quale altro segno si perde,
> perché non tutta la vita
> è in questo silenzio verde.

Cristo, (il pesce, come nota il poeta nella lettera citata[4]), è vivo ("luccica") nella sua sofferenza, e questo è certo qualcosa, anche se richiede il confinamento nel "sepolcro verde": trionfo della vegeta-

[4] BC, p. 931.

zione e della morte, giardino di Adone e scurolo della Settimana di Passione; e quindi sottrae il "ben altro" che è nella vita: "segno" però, significato o emblema, non gusto della vita, perché lo "spacco del masso / miracolato che porta / le preci in basso", "il monte spaccato a vulva", come spiega la stessa lettera, assicura un solido, visibile collegamento del religioso colla vitalità e il sesso. Nella prima strofetta:

> Isole del santuario,
> viaggi di vascelli sospesi,
> alza il sudario,
> numera i giorni e i mesi
> che restano per finire.

il "sudario" copre il Cristo morto, e non sembra necessario scomodare il velo di Maia, come fa il poeta forse per reticenza. I vascelli sono ex-voto appesi nella chiesa, e "i giorni e i mesi" misurano il tempo che manca per finire il viaggio, per ridursi a questo luogo della fede: li accosterei ai "lunghi mesi" di *Costa San Giorgio*. Le "isole", spiega ancora la lettera, sono luoghi nella navata: in realtà dalle "isole" alle "navate" è un viaggio immobile, o forse circolare, perché presumibilmente l'associazione fra i due termini risale alla quasi identità dell'inglese "isle" (isola) con "aisle" (navata). Della terza strofetta si noterà ancora l'occorrenza della luce tenue:

>   parole
> di cera che stilla, parole
> che il seme del girasole
> se brilla disperde.

Come dire che la donna combatte ad armi pari, si limita, lei o il suo emblema, a "brillare", senza dover ricorrere al "lampo".

Torniamo a *Palio*. Il "prima" di v.30 ("la luce di prima"), il tempo della fede e della salvezza, ripristinato dall'"effetto di luna" sulle teste della folla, apre l'ascolto alla favola cristiana, introdotta dalla formula consacrata "c'era una volta". Il raccordo poi della favola con l'introduzione era più preciso, fino alla collimazione, nella prima stesura, dove la "mattina *assai lontana*" [cn] riprendeva la determinazione temporale della "luce d'allora", e il "ritornello" era più immediatamente adeguato all'andamento delle strofette. Il "ritornello" ha poi sostituito "quella canzone" al v.48, come l'"eco di là" la determinazione spaziale a quella temporale; mentre "la preghiera" aggiunge, aggregandosi la mattina, un anello alla catena associativa: la preghiera della mattina è il ricordo "scatenante" della favola: un'attività, non un ascolto passivo. La seconda strofetta si connette più immediatamente al discorso svolto fin qua:

> Sotto una volta diaccia
> grava ora un sonno di sasso,
> la voce della cantina
> nessuno ascolta, o sei tu.

Riconosciamo i connotati del "luogo della fede", come l'abbiamo chiamato. Il "sonno di sasso" grava sul religioso perento, e la voce "nessuno ascolta, o sei tu": tu sola ascolti la voce, tu sola sei in grado di udirla.

> La sbarra in croce non scande
> la luce per chi s'è smarrito;
> la morte non ha altra voce
> che quella che spande la vita.

In coerenza col commento di *Notizie* intendiamo che sia la morte a "spandere" la vita, e questa sia il messaggio della voce. Ma i primi due versi devono essere intesi rovesciandoli: "la sbarra in croce (ricordiamo l'Idolo "sbarrato") *scande* la luce per chi *non* s'è smarrito", e la donna ha di fatti ritrovato il sigillo "ch'io credevo smarrito": continua l'acre diagnosi dell'inizio.

La prima strofetta:

> non un reame, ma l'esile
> traccia di filigrana
> che senza lasciarvi segno
> i nostri passi sfioravano,

ha subito modifiche importanti. Il manoscritto e tutte le edizioni fino al 1956 recavano:

> non il re ma il tuo segno
> di filigrana dove
> con le dita o col passo
> senza traccia sfioravi.

con l'errore (di stampa) "regno" per "segno" nelle edizioni 1949, 1954, 1956. Come avverte l'apparato, il "reame" sarà stato occasionato dal "regno", che però fa perfettamente senso. La stesura "errata" dice infatti: non Cristo (il re), ma il regno (che è pure tuo, avremmo detto "suo", ma qui forse si apre una contesa per il diritto di proprietà) del religioso in genere: la tendenza è di minimizzare il carattere "positivo" della religione. Ma poiché ciò che è nominato negandolo è pur sempre affermato, ecco al posto del re il "reame" che non si raccorda esattamente col "c'era una volta". L'"esile / traccia di filigrana" (simile di aspetto alla filigrana) si lascia associare agli "insetti fosforici" di *Costa San Giorgio* e ne completa l'ambientazione. Su questa traccia "i nostri passi" non lasciavano segno (o, nella prima stesura, su questo segno, o regno, non lasciavano traccia), sia perché la nostra frequentazione era rada e superficiale, sia perché la "traccia" è inalterabile, ed è un motivo che ritroveremo. Il fatto che la donna ritrovi la sua autenticità, il suo "destino", nel rivivere l'esperienza religiosa, lascia alla prima alquanto perplessi, ma non manca di conferme, p. es. nei primi versi del *Natale metropolitano*:

> Un vischio, fin dall'infanzia sospeso grappolo
> di fede e di pruina sul tuo lavandino,

dove la "pruina" (il gelo) e il "vischio" (elemento in qualche modo luminoso) appartengono ai simboli dell'infanzia e della fede, e, sulla scorta del vischio, in *Sulla colonna più alta*: "e ancora / il tuo lampo mutava in vischio i neri / diademi degli sterpi", dove la donna, per dire il meno possibile, contende il "vertice" al "Cristo giustiziere". Proseguiamo con *Palio*:

> ma un'altra voce qui fuga l'orrore
> del prigione e per lei quel ritornello
> non vale il ghirigoro d'aste avvolte
> (Oca e Giraffa) che s'incrociano alte
> e ricadono in fiamme.

Si tratta, chiaramente, di un'energica reazione del soggetto, ideologicamente del tutto comprensibile. Non altrettanto evidente è la sua ragion d'essere psicologica, il suo modo d'inserirsi come fatto tra i fatti. L'intenzione delle strofette è di ripresentare un mondo non più condiviso facendolo venire da lontano e tenendolo a distanza. Tanto è vero per quelle dell'*Elegia*, dove quel mondo è folklore, *versunkenes Kulturgut*, facilmente vanificato dal "seme del girasole"; ma quelle di *Palio* non si lasciano sbrigare come prodotto della fantasia popolare; la favola è solo l'innesco di una meditazione inevitabile: non meno di questa reazione è richiesto a liberarsi dal suo incantesimo. E l'"orrore / del prigione" non è di chi è ancora schiavo della fede e dei vincoli infantili, ma di chi ne è lentamente catturato. L'"altra voce" non è però la voce della piazza, è fin dall'inizio un'istanza giudicante, un principio assiologico per il quale il "ghirigoro d'aste avvolte" ecc., è, al suo livello di manifestazione vitale, più importante del "ritornello" ch'essa vuole rimuovere: è certamente la voce dell'estatico, individuata per il momento dalla sua collocazione, dalle sue coordinate, e sul punto di spiegare, fra qualche verso, le sue caratteristiche. E se in tutta la poesia gli stati di rapimento hanno un principio fenomenico, fanno seguito a eventi materiali: la tempesta dissipata, il sorgere della luna, lo sbandieramento e il volteggiare delle aste "in fiamme", ora il fenomeno è quanto c'è di più creaturalmente vitale:

> Geme il palco
> al passaggio dei brocchi salutato
> da un urlo solo.

Non c'è, come si vede, alcun tentativo di mantenere questa vitalità al livello dell'estatico, si tratta solo di accettarne lo strappo, e questo è in prima approssimazione l'invito rivolto alla donna:

> È un volo! E tu dimentica!
> Dimentica la morte
> *toto coelo* raggiunta e l'ergotante
> balbuzie dei dannati!

Ma perché dimenticare, e che cosa, risulta dalla situazione della donna in questo momento: essa si è ritrovata nel religioso, e ne deve uscire per aver parte al nuovo rapimento; non basta concentrarsi sullo spettacolo e non badare ai commenti e previsioni della folla, immagino, sul piazzamento dei cavalli. Bisogna dimenticare com'è situata la folla rispetto a un giudizio che è stato pronunciato fin dalle prime battute: il "tumulto d'anime" del v.7, e il giudizio è competenza del religioso. Naturalmente menzionare il giudizio significa ripronunciarlo, così la folla si ritrova volta a volta condannata e santificata senza mediazione possibile: non le è attribuita coscienza del suo stato, nè la conseguente attitudine alla salvezza: la morte è totale e la balbuzie dei dannati è l'argomentare (fr. *ergoter*) inetto che un diavolo "loico" come quello di Guido da Montefeltro (*Inferno*, XXVII) avrebbe buon gioco a confondere[5]. Allo stesso modo l'"urlo solo" della folla, nella sua solidarietà con gli scalcinati cavalli (i "brocchi") non lascia inferire nel soggetto alcun trasporto d'unanimità. "Il presente s'allontana", è detto poco sotto, dopo aver fornito la sua "occasione".

> C'era *il* giorno
> dei viventi, lo vedi, e pare immobile
> nell'acqua del rubino che si popola
> d'immagini.

Il "rubino" riprende naturalmente il "sigillo imperioso", di cui è, per così dire, la forma estatica, e ripete nel suo colore la Piazza del Campo, in esso infatti si raccoglie la folla (le "immagini") come convocate nel giorno immobile "dei viventi": si replica nell'estatico il raddoppiamento del modo d'apparire che si era prodotto nel religioso: le teste sbiancate. Nell'immobilità del giorno unico riconosciamo la "lente tranquilla", la chiusura nel possibile ancora impregiudicato. "Il presente s'allontana", ma non è suggerito di correlare il passato al religioso e il futuro all'estatico, come se questo fosse il

[5] Il BONORA, *Metafore del vero*, p. 84, commenta: "Il volo, come altrove, significa la liberazione da remore e viltà; quello che deve essere dimenticato è specificato dalla «morte *Toto coelo* raggiunta» e dalla «ergotante balbuzie dei dannati», che sono definizioni della rinuncia all'impegno morale, suggerite dallo spettacolo di avvilimento che davano quanti cedevano alla pressione della dittatura. Essi veramente erano morti alla luce dello spirito e il loro discorso era il cavilloso balbettio di chi ha perduto il bene dell'intelletto ... Le allusioni storiche hanno, a prima vista, l'oscurità di un linguaggio di iniziati ..." Si vorrebbe obbiettare: 1) non c'è nulla di meno oscuro di questo "linguaggio di iniziati", che si presta a spiegare tutto quello che non si capisce altrimenti; 2) che bene e male siano separate da una stessa linea sia in morale sia in politica, che le posizioni antifasciste coincidano *tout court* con "l'impegno morale" per me non è ovvio; ma poteva esserlo per il poeta; 3) l'"ergotare, il "discutere di politica e di alta strategia" era vivamente sconsigliato dal regime.

fine a cui tende o deve tendere l'umanità: che sarebbe un millenarismo da cui Montale era del tutto alieno. Direi anzi che l'atemporalità, rappresentata dal passato "era" è dissimulata, ma naturalmente non cancellata, dietro l'unicità espressa dall'articolo *il* sottolineato. Dobbiamo pensare piuttosto a qualcosa al di là come la Gerusalemme celeste dell'*Apocalisse*, di cui è detto in 21,11: "et lumen eius simile lapidi pretioso tanquam lapidi iaspidis sicut crystallum", e questo è in accordo con l'uscita dal fenomenico:

> fuor della selva
> dei gonfaloni, su lo scampanio
> del cielo irrefrenato, oltre lo sguardo
> dell'uomo – e tu lo fissi. Così alzati
> finché spunti la trottola il suo perno
> ma il solco resti inciso. Poi, nient'altro.

"Così alzati", quasi in punta di piedi, è un gesto di forte volontà di cui il poeta ci ha dato quasi una replica nella *Primavera hitleriana*:

> Guarda ancora
> in alto, Clizia, è la tua sorte ...
> ...
> fino a che il cieco sole che in te porti
> si abbàcini nell'Altro e si distrugga
> in Lui, per tutti.

Ma possiamo in entrambi i luoghi o perlomeno in *Palio* evitare lo spasmo volontaristico, intendendo che la condizione sia avverata: "alzati così, come siamo", al di sopra del mondo per il tempo che la condizione può durare. Il giro della trottola e la corsa in tondo dei cavalli coincidono in un'ultima vampa o qualcosa di più che lascia qualcosa di più permanente che un segno, appunto un solco. Il quale è certo il "destino", se potesse comparire dove la continuità della vita è sacrificata al presente unico: la trottola "spunta il suo perno". Un ritorno di queste idee si troverà nella conclusione de *L'orto* (1946):

> Se la forza
> che guida il disco *di già inciso* fosse
> un'altra, certo il tuo destino al mio
> congiunto mostrerebbe un solco solo.

Ma è un altro versante del pensiero: "il disco" è "*di già inciso*", la vita è stata quella che è stata e ha già dato il suo frutto – ma il corsivo che non è nostro suggerisce una sorta di predestinazione. "La forza / che guida il disco" è quella degli avvenimenti che ha disgiunto il solco unico: più che constatazione, omaggio al pessimismo che i tempi impongono.

Non abbiamo dato molto peso al momento partecipativo della poesia, all'urlo della folla che strappa il soggetto alla sua oscura meditazione e lo trascina nell'entusiasmo comune, dal quale egli trarrà magari un profitto superiore all'"ergoter". Un'occasione partecipativa di questo genere può scorgersi in *Buffalo* (1929) e ne *La primavera hitleriana* (1939-1946), e una breve analisi ci permette di saggiarne la qualità. Cominciamo dalla *Primavera*. La visita ufficiale di Hitler in Italia è del 5-9 maggio 1938, di conseguenza "San Giovanni" più sotto non è la festa del santo (24 giugno), ma il Battistero. L'arrivo del Führer a Firenze, annunciato da un "messo infernale / fra un alalà di scherani" (primo momento festivo, riassorbito dal "golfo mistico" e non partecipato dalle "vetrine" che "si sono chiuse"), è accompagnato da una nevicata fuori stagione, di quelle che distruggono le fioriture:

> Tutto finito dunque? – e le candele
> romane, a San Giovanni, che sbiancavano lente
> l'orizzonte, ed i pegni e i lunghi addii
> forti come un battesimo nell'attesa
> dell'orda ...

È una promessa prima di una separazione, come indica poco sotto la "semina / dell'avvenire"; la "gemma" che "riga l'aria" è, come mostra il confronto con "la scaglia d'oro che si spicca / dal fondo cupo" di *Personae separatae*, una stella filante, forse un dettaglio dei fuochi d'artificio, al cui cadere si esprime un desiderio, qui non necessariamente frustrato. Ma allineando i due fatti, l'arrivo del Führer e la neve, questa appare nel confronto festosa in quanto uccide l'altra col suo carico di morte:

> Oh la piagata
> primavera è pur festa se raggela
> in morte questa morte!

E questa festa può in qualche modo coinvolgere l'altra:

> Forse le sirene, i rintocchi
> che salutano i mostri nella sera
> della loro tregenda, si confondono già
> col suono che slegato dal cielo, scende, vince –

Questa sequenza si lascia utilmente confrontare con quella di *Palio*. Qui l'"urlo solo" e il "volo", separati e come depurati – è la funzione del "dimenticare" – dei "brocchi" e dell'"ergotante / balbuzie dei dannati", sono l'occasione unica perché "nell'acqua del rubino" si mostri "il giorno dei viventi" e il traguardo di piazza si congiunga col "traguardo" che è "oltre lo sguardo / dell'uomo". Ne *La primavera hitleriana* la "festa" della neve non è abbastanza festiva per sostenere da sola l'esortazione "Guarda ancora / in alto, Clizia ...", e il "suono che slegato dal cielo scende" ("slegato" come le campane la mattina del Sabato Santo) ha bisogno di un secondo avviamento ne "le sirene, i rintocchi / che salutano i mostri ...", i quali mostri vengono in ritardo a fare il ruolo dei "dimenticati" di *Palio*.

In confronto a questa elaborata costruzione *Buffalo* è una cosa semplice e sobria, tipica del periodo di poesia raffreddata che segue alle emozioni degli ultimi *Ossi*: non però così semplice da poterla prendere al facciale. Come dice la nota, Buffalo è il velodromo parigino, dove si tiene una gara di *stayers*, e al tempo stesso un inferno dal primo all'ultimo verso:

> Un dolce inferno a raffiche addensava
> nell'ansa risonante di megafoni
> turbe d'ogni colore.

Più che il dantesco "Come d'autunno si levan le foglie ..." (Inf., III,112) è da ricordare la sua fonte, Eneide, VI,305: "Huc omnis turba ad ripas effusa ruebat". C'è anche una zattera, la "ratis" virgiliana, chiamata però "cumba" nel verso seguente, e non manca la seduzione:

> da un palco
> attendevano donne ilari e molli
> l'approdo d'una zattera.

Il "golfo brulicante" non è solo un luogo dove la folla attende il suo turno d'entrare, è già immagine della circolazione del sangue, nel senso della corrente vitale:

in basso un arco
lucido figurava una corrente
e la folla era pronta al varco.
...
... Precipitavo
nel limbo dove assordano le voci
del sangue.

L'istante del momento partecipativo, se fosse tale, o della cattura nell'eccitazione collettiva, è ritagliato con cura:

Mi dissi:
Buffalo – e il nome agì.

Ma, come si vede, è il momento di un consenso deciso individualmente, come chi si bilanci un attimo in cima alla propria volontà, e si getti nella tentazione.

Appendice. L'apparato critico[6] rinvia, per il "nemico muto", a *L'eremita* del Pascoli (nei *Primi Poemetti*). Ecco i versi (11-16) che ci riguardano:

E ripregava a mezzodì: «Rimane,
Dio, che tu lasci che il nemico muto
pur mandi a me le nudità sue vane.
/ Quando al vespro del mio dì combattuto
dilegueranno, io penserò che, vere,
le avrei non meno dileguar veduto.

Le "nudità ... vane" sono le fantasie erotiche che tentano l'eremita e che pure egli si augura come parte del sue destino (o della sua prestazione). Il loro previsto dileguare al "vespro del ... dì combattuto" ha il suo eco nella preghiera serale, vv.21-23:

A sera, disse: «Il servo, umile e grato,
ti benedice! Tu mi desti, o Dio,
l'aver provato e non aver peccato.

L'opposizione – ogni incontro di Montale con un precedente ne contiene una – è che in *Costa San Giorgio* l'ossessione erotica, che

[6] BC, p. 921.

non è compito da assolvere, si allevia al mattino per infittirsi alla sera, onde il mattino è qualificato come un "limbo". Il mattino è infatti l'infanzia, il tratto ancora impregiudicato della vita e del giorno di cui più volte si parla in *Ossi di seppia*, in *Forse un mattino...*, in *Quasi una fantasia*, in *Fine dell'infanzia*, in *Clivo*, mentre la sera (o la notte) è la "fucina vermiglia" di *Su una lettera non scritta*, "la notte afosa" di *Giorno e notte*, qui stesso il "magico falò", che era nelle due prime edizioni Einaudi, fino al '40, il "cupido falò".

Un altro "punto trigonometrico" è nei versi:

> più
> non distacca per noi dall'architrave
> della stalla il suo lume, Maritornes.

Maritornes nel Don Chisciotte è, come ricorda il poeta, la serva abbastanza repellente di una *venta*, ma la nota stessa ("o una simile") ci avverte che la corrispondenza non è molto impegnativa, infatti da nessuna parte nel romanzo Maritornes "distacca" ecc., al più si può ricordare la "lámpara, que colgada en medio del portal, ardía..." Il suo compito era certamente di dare ai due una camera per passar la notte: una sosta nell'avventura, perché la locanda si trova sul "camino real" e per quanto poco confortevole, a Don Chisciotte sembra un castello.

Finalmente l'"Idolo", nelle sue figure di *El Dorado* (storia e tradizione familiare, come quella di *Dora Markus II*), Cristo in croce (religiosità inibente, con una componente, forse ricattatrice, di pietà: "Senza voce ... disfatto dall'arsura") e di fantoccio finalmente caduto, può motivare l'atteggiamento di rifiuto di lei, a causa del quale appunto Maritornes non ha più occasione di staccare la lampada ecc., con la conseguenza di una frustrazione sentita come "stupida" e forse impresentabile, se è per questo che è "non veduto" quello che "si riforma nel magico falò", e avvolgentesi su se stessa come lungo i cerchi discendenti (il "torchio") di un inferno.

Questa interpretazione è pesantemente carnale e biografica, ma spiega il momento revulsivo di *Barche sulla Marna*, che è in qualche modo il suo *Gegenstück*, con cui condivide il lungo periodo d'elaborazione: 1933-1938, stando all'indice. Trovo difficili gli ultimi versi:

> Se una pendola rintocca
> dal chiuso porta il tonfo del fantoccio
> ch'è abbattuto.

Il “tonfo” è il correlato esterno del “rintocco della pendola”, che a sua volta è essenzialemente interno; penserei quindi a un anticipo della tematica della “lente tranquilla” e dello spirito contro l’anima, come se la vitalità rinunciata rendesse inutile la proibizione di quello che, appunto, è ormai un fantoccio. Il che, per concludere, mostrerebbe che la poesia non è propriamente una richiesta di soddisfacimento sessuale.

8
LE MADRI

Le "antiche mani dell'arenaria" hanno un precedente la cui evidenza fonica non dovrebbe sfuggire neanche a un orecchio mediocre: l'"araucaria" di *Nel Parco di Caserta*:

> che scioglie come liane
> braccia di pietra, allaccia
> senza tregua chi passa,
> e ne sfila nel punto più remoto
> radici e stame.

La poesia, penultima della prima parte delle *Occasioni*, è datata 1937, non è quindi lontana da *Notizie dell'Amiata*. Come il "vento del nord", l'araucaria scioglie le "braccia di pietra", ma con opposta intenzione e risultato, perché la sua è la forza vegetale che spezza e sradica, lasciando dietro di sè, anziché i semi raccolti sotto la "lente tranquilla", un viluppo ingombrante dove le "Madri" non hanno agio d'immettere nuove forme, e infatti:

> Le nòcche delle Madri s'inaspriscono,
> cercano il vuoto.

E col vuoto ritroviamo gli ambienti, androni e solai, di cui abbiamo più sopra accertato la funzione.

Il poeta ha annotato, nel solito modo sornione: "Intorno alle *Madri*, si vedano le spiegazioni, alquanto insufficienti, di Goethe". Il rimando è alla scena, ambientata (significativamente) *Finstere Galerie*, nel Faust II, vv.6173-6306. Sembra strano che Montale abbia trovato *quantitativamente* insufficienti le indicazioni di Goethe su un argomento del quale, parafrasando Wittgenstein, "non si può parlare, (quindi) bisogna tacere". L'insufficienza è invece *qualitativa* e riguarda il seguito dato da Montale all'idea delle Madri, drasticamente divergente dagli sviluppi goethiani. Cominciamo con le concordanze, quasi il *tertium comparationis* fra le immagini dei due poeti. Anzitutto il vuoto, e anche meglio per quel che riguarda Goethe l'impredicabilità dello spazio e del tempo, vv.6213-16:

> Göttinnen thronen hehr in Einsamkeit.
> Um sie kein Ort, noch weniger eine Zeit;
> Von ihnen sprechen ist Verlegenheit.
> Die Mütter sind es!

Neppure immaginando di naufragare nell'Oceano ci si può fare un'idea della solitudine che le circonda, vv.6239 sgg.:

> Und hättest du den Ozean durchschwommen,
> Das Grenzenlose dort geschaut,
> So säh'st du dort doch Well' auf Welle kommen,
> Selbst wenn es dir vorm Untergange graut.
> ...
> Nichts wirst du sehn in ewig leerer Ferne,
> Den Schritt nicht hören, den du tust,
> Nichts Festes finden, wo du ruhst.

In questo vuoto le Madri stanno a loro agio, come non possono nel *Parco di Caserta*, vv.6286 sgg.:

> Die einen sitzen, andre stehn und gehn,
> Wie's eben kommt. Gestaltung, Umgestaltung,
> Des ewigen Sinnes ewige Unterhaltung.

I luoghi dismessi, i depositi di vecchiume in Montale hanno un precedente in Goethe, v.6278:

> Ergetze dich am längst nicht mehr Vorhandnen.

Fin qua l'accordo, profondo e tenace. Del quale è prova il ricorso ai luoghi e alle procedure del "reimpasto" come idea del tutto naturale, che va da sè, in *Auto da fé*[1]: "Il loro significato [di certi "petits faits"] ci sfugge, la loro ostinazione a non perdersi in quella *caverna sotterranea* [cn] in cui la vita impasta le nuove forme servendosi del materiale in disuso può sembrare anche ridicola". Le "insufficienze",

[1] Milano, Il Saggiatore, 1966, p. 158.

le divergenze sono però epocali, e riguardano il ruolo assegnato al soggetto, l'investimento di volontà, che vale a Faust la conquista della bellissima. Ecco alcuni dettagli del suo comportamento: non irrigidirsi in difesa, non negarsi al brivido, vv.6271 sg.:

> Doch im Erstarren such ich nicht mein Heil,
> Das Schaudern ist der Menschheit bestes Teil;

accingersi alla prova con fiducia ed entusiasmo, vv.6281 sg.:

> Wohl! fest ihn fassend, fühl ich neue Stärke,
> Die Brust erweitert, hin zum großen Werke.

Faust stringe la chiave che Mefistofele gli ha data, una chiave che nella sua mano (v.6261) "wächst ... leuchtet, blitzt". E poi i gesti di Faust nelle didascalie, v.6281: "begeistert", v.6293 "macht eine entschieden gebietende Attitüde mit dem Schlüssel", v.6305: "stampft und versinkt". E Faust riconoscerà il luogo al treppiede ardente che, toccato colla chiave, v.6294, "... schließt sich an, und folgt als treuer Knecht".

Anche Montale ha avuto, in *Mediterraneo*, il suo momento di turgidità volontaristica, d'altronde rivolto piuttosto all'essere che al fare. Altrimenti la volontà (ed anche l'essere) è negata ("ciò che non siamo, ciò che non vogliamo") o rientrata ("voluta / disvoluta è così la tua natura"), oppure, nella serie che abbiamo chiamato "interrogazione al destino", è un'apparizione, un fantasma lontano: come una volontà esterna. Non senza intenzione abbiamo portato a confronto, a proposito del "sigillo imperioso" ritrovato fra le mani della donna in *Palio*, la parabola della dracma (Luca, XV,8): l'anello ritrovato è un puro dono, connesso a un incremento di valore. Questi salti esistenziali sono segnalati spesso da eventi naturali, meteorologici, talché il poeta del sempre uguale, del "muro" e della "ruota" si è visto gratificato di una gran numero di strappi nella rete e leve del mondo che si urtano. È vero che anche la chiave di Faust "splende, lampeggia", ma è la risposta dell'oggetto che riconosce il suo signore, come poi il treppiede seguirà "come servo fedele".

I luoghi delle Madri, riconoscibili in parte dall'aspetto abbandonato, sinistro e vagamente teatrale, ma essenzialmente dalla loro funzione, per la quale chi vi entra ne esce diverso (se ne esce), si trovano più volte nell'opera tarda: qui di seguito ne prendiamo in esame alcuni esempi. Non sono facili da identificare, non solo per l'evanescenza della loro connotazione, ma perché la loro presenza poetica si accompagna a una più o meno esplicita negazione ontologica, come se l'attempato poeta si sentisse tenuto a minimizzare il bilancio della propria vita. Nel primo esempio, *La mia Musa*, in *Diario del '71*:

> La mia Musa ha lasciato da tempo un ripostiglio
> di sartoria teatrale; ed era d'alto bordo
> chi di lei si vestiva;

la Musa non è, contro l'ovvia aspettativa, la guardarobiera che provvede abiti ai travestimenti di personaggi "d'alto bordo" – per i quali Montale ha sempre mostrato interesse, si veda *La Piuma di struzzo* ne *La Farfalla di Dinard*, e le due poesie, *I travestimenti* in *Quaderno di quattro anni*, e *All'amico Pea* in *Altri versi*, dove è ricordato Leopoldo Fregoli. La Musa non si troverà quindi dalla parte delle *Madri*, e infatti è la veste stessa, indossata da altri e finalmente dal poeta:

> Un giorno fu riempita
> di me e ne andò fiera. Ora ha ancora una manica ...

A farne un romanzo, si direbbe che ha avuto col poeta un'avventura compromettente e che ora è ridotta in miseria: più terra terra, intenderemo che alla poesia attuale ("è l'unica musica che sopporto") basta uno scampolo d'ispirazione.

Non so se vedere nell'inizio della poesia la storia ulteriore della Musa che "ha lasciato da tempo ...":

> Se pure una ne fu, indossa i panni dello spaventacchio
> alzato a malapena su una scacchiera di viti,

ma la sua irreperibilità non è solo una mormorazione della gente: "E si direbbe / (è il pensiero dei più) che mai sia esistita", la sua ontologia è quella delle anime defunte per chi non è tenuto a credere in un'anima che sopravviva:

> Sventola come può; ha resistito a monsoni
> restando ritta, solo un po' ingobbita,

come *I morti* (in *Ossi di seppia*):

> tra i fili [delle reti stese] che congiungono
> un ramo all'altro si dibatte il cuore
> come la gallinella
> di mare che s'insacca tra le maglie,

e come in definitiva le anime purganti di Virgilio (Eneide, VI, 740 sg.: "aliae panduntur inanes / suspensae ad ventos"); sennonché, più partecipe di queste e dei *Morti*, assiste ancora i viventi che riconosce come suoi:

> cammina non temere,
> finché potrò vederti ti darò vita.

Nel secondo testo, *Annetta*, in *Diario del '72*, la tematica delle *Madri* è anche più evidente, e ancora una volta la parte del rinascituro non è riservata al poeta, che è anzi piuttosto il demiurgo, per non dire la Madre. Nel gioco di società la ragazza si presta al ruolo quasi pigmalionico del poeta:

> Occorreva di più, una statua viva
> da me scolpita. E fosti tu a balzare
> su un plinto traballante di dizionari
> miracolosa palpitante ed io
> a modellarti con non so quale aggeggio:

di dar la forma ultima, come una veste. (Un precedente remoto, in *Vento e bandiere*:

> la raffica che t'incollò la veste
> e ti modulò rapida a sua immagine,

si adatta a mostrare quanto il cosiddetto "materiale di riuso" si arricchisca inserendosi in campi di forza diversi se non sempre più ampi; e al tempo stesso la tenacia di certe associazioni materiali, perché un'"asta / della bandiera" si ritrova qualche verso più sotto.) Come due quinte i versi che introducono e chiudono la scena della "sciarada" ne sottolineano la non implicita teatralità:

> Erano veri spettacoli in miniatura,
> ...

Fu il mio solo successo di teatrante
domestico.

La seconda dichiarazione sembra riprendersi quanto la prima ha concesso; in realtà la ragazza era "maestra" nel "gioco delle sciarade", e il tratto umoristico ("la barba ... prolissa e alquanto sudicia") ridimensiona l'intervento del poeta per un moto di modestia, che è poi senso di insufficienza esistenziale. Ma lei rimane ancora in forza:

Ma so che tutti gli occhi
posavano su te. Tuo era il prodigio.

Come la Musa, anche Annetta appartiene ormai a un altro modo d'esistere, occorre quindi cancellare la sua parte di Elena (quella del Faust, l'oggetto d'ammirazione), la sua presenza amorosa:

Ma ero pazzo
e non di te, pazzo di gioventù,

per ricuperare la tessitura rada che il personaggio aveva già all'inizio:

le tue apparizioni furono per molti anni
rare e impreviste, non certo da te volute.
...
la foce del Bisagno dove ti trasformasti in Dafne.

Finalmente la condizione della fanciulla morta, quale appare all'inizio della poesia:

Perdona, Annetta, se là dove tu sei
(non certo tra di noi, i sedicenti
vivi) poco ti giunge il mio ricordo,

trova una corrispondenza di pari livello ontologico negli ultimi versi:

Oggi penso che tu sei stata un genio
di pura inesistenza, un'agnizione
reale perché assurda. Lo stupore

quando s'incarna è lampo che ti abbaglia
e si spenge.

Mi sembra che sia questa l'ultima occorrenza "metafisica" del lampo, che ha tante volte fornito a Montale un'ontologia labile e assoluta.

È ancora da ricordare, per l'eco di *Stirb und werde* goethiano che vi si percepisce, una delle ultime poesie, *Ho tanta fede in te* (presumibilmente del 1979) con la dedica *A C.* in *Altri versi*:

Ho tanta fede che mi brucia; certo
chi mi vedrà dirà è un uomo di cenere
senz'accorgersi ch'era una rinascita.

Il volo e la rinascita attraverso il fuoco risalgono al periodo della Volpe, p. es. in *Luce d'inverno* (1952): "alla scintilla / che si levò fui nuovo e incenerito". Una breve analisi mostrerà il cambiamento delle premesse nel permanere del nodo fantastico. La consumazione finale risponde all'idea iniziale della fine del mondo nel fuoco, idea ricorrente a sazietà nell'ultimo Montale:

Ho tanta fede in te
che durerà
(è la sciocchezza che ti dissi un giorno)
finché un lampo d'oltremondo distrugga
quell'immenso cascame in cui viviamo.

Se la vita è, come prescrive più o meno la fisica, tutta contenuta nel visibile, allora l'oltrevita non può essere che la proiezione del non esistente, la morte che ci si porta dentro finché si vive:

So che oltre il visibile e il tangibile
non è vita possibile ma l'oltrevita
è forse l'altra faccia della morte
che portammo rinchiusa in noi per anni e anni.

Oppure i "rottami della vita di qui" sono le buche dove si nasconde qualcosa a cui non non siamo sempre capaci di dare un senso:

Ho tanta fede in te
e l'hai riaccesa tu senza volerlo

senza saperlo perché in ogni rottame
della vita di qui è un trabocchetto
di cui nulla sappiamo ed era forse
in attesa di noi spersi e incapaci
di dargli un senso.

Spianando un pensiero di non immediata comprensione: l'"oltrevita", il "senso" è nel vivente in quanto sua porzione di morte, e forse nel non più vivente in quanto, ancora, occasione di morte, perché tanto vale "trabocchetto", cfr. *L'arca*: "quanti ... son calati, vivi, nel trabocchetto". Ma con l'aiuto della fede l'*ecpyrosis* può essere una rinascita. La "fede" è parola assai poco montaliana, per mezzo della quale il poeta vorrebbe pervenire a una semplicità che non è la sua. E infatti il primo verso: "Ho tanta fede in te" e gli altri due che ripetono la formula con qualche variante sono presi da una poesia di Antonia Pozzi, che Montale riportò per intero nella prefazione che fece di *Parole* nel 1948[2].

Devo la segnalazione del terzo esempio al bel saggio di Stefano Agosti[3]: la poesia di trova nel *Quaderno di quattro anni*, ed è il pezzo forte della nostra collezione, anche per la perfetta rispondenza al complesso simbolico delle *Madri*. Le note che seguono non vogliono entrare in concorrenza con un'analisi condotta su tutt'altri principii, e neppure fornire una continuazione o complemento. L'associazione "custode", "angeli" (p. 77) è comunque, con diversi altri, un suggerimento prezioso. E notiamo allora che non solo il custode "manca", ma che già più sopra "un guardiano era previsto": insistenza sia sulla persona che sulla sua assenza a prima vista eccessiva. E se il custode e gli angeli nella logica simmetrica dell'Agosti[4] si riferiscono l'uno all'altro come nome e apposizione ("angeli custodi"), nel "senso riposto" non compariranno più a parità di livello: segno che le catene associative non sono nè unidimensionali nè liscie, il che è da aspettarsi anche se "Il processo ... è lo stesso di quello che si manifesta nel sogno"[5].

La catena fonica fondamentale, che si vorrebbe chiamare la spina

[2] Ora in E.M., *Sulla poesia*, Milano, Mondadori, 1976, pp. 49-53.

[3] STEFANO AGOSTI, *Il testo della poesia: "Sul lago d'Orta"*, in *Cinque saggi*, Milano, Feltrinelli, 1982, pp. 69-87.

[4] S.A., *Modelli psicanalitici e teoria del testo*, Milano, Feltrinelli, 1987, pp. 12 sgg.

[5] *Cinque saggi*, cit., p. 77.

dorsale della poesia, è quella che l'Agosti ha indicato nell'ultima pagina del suo saggio (p. 87) e che riordino per i miei scopi: "angeli (angli)... inglesi" (è un termine unico), "anguilla", "angoscia", "piangono", "ping-pong", e si prolunga o, io direi, si perde, in "ristagna" e "magnolia": salvo un paio di termini, siamo venuti risalendo la poesia. Ancora una volta, la catena di fonica diventa associativa se introduciamo un gomito – già percepibile a un primo esame – fra "angeli" e "anguilla", una discontinuità che dobbiamo motivare. Ricordiamo le occorrenze dell'anguilla fino a tutto il terzo libro. *I limoni*:

gli erbosi
fossi dove in pozzanghere
mezzo seccate agguantano i ragazzi
qualche sparuta anguilla.

La gondola che scivola (nei *Mottetti*):

quell'assorto
pescatore d'anguille dalla riva.

In entrambi questi luoghi si riconosce all'anguilla una tenace vitalità e al tempo stesso una corrività a lasciarsi catturare, anche da un "assorto pescatore". Così l'anguilla potrebbe ben vivere nel parco dove nessuno la insidia, se lo squallore del luogo non gliene facesse "passar la voglia". La terza occorrenza è un'intera poesia (nella *Bufera*) dove è sviluppata un'ideologia dell'anguilla che corre in qualche modo parallela al nostro testo. L'anguilla

che solo i nostri botri o i disseccati
ruscelli pirenaici riconducono
a paradisi di fecondazione;
l'anima verde che cerca
vita là dove solo
morde l'arsura e la desolazione,
la scintilla che dice
tutto comincia quando tutto pare
incarbonirsi, bronco seppellito,

del tutto dimentica, d'altronde, del Mar dei Sargassi e di quanto la scienza sa dire sul suo conto (Ma i "sargassi umani" avevano un'energica valenza negativa già in *Incontro)*, è la creatura che cerca il luogo più morto e arido per spiegare nella riproduzione la sua vitalità, e nessuna "desolazione" dovrebbe dissuaderla dal darne dimostrazione proprio nella villa abbandonata: è la "scintilla" nel legno incarbonito, troppo elementare per non funzionare infallibilmente. Se questo non succede, ci vuole una ragione in più, come vedremo; ma seguiamola nell'itinerario che la porta dal mare ai "botri" e ai "disseccati ruscelli".

> di ramo in ramo e poi
> di capello in capello, assottigliati,
> sempre più addentro, sempre più filtrando
> nel cuore del macigno ...

Questo cammino di cui l'anguilla viene a capo si ritrova in una poesia ancora del *Quaderno di quattro anni*, *L'armonia*:

> L'armonia è di chi si trova nella vena giusta
> del cristallo e non sa nè vuole uscirne.

Qui il percorso s'interrompe perché l'appagamento è la perfezione raggiunta; ma se questa è la reclusione della rinascita, se il "cristallo" è ancora la "lente tranquilla", il parallelismo dei percorsi è il *tertium comparationis* fra il destino dell'anguilla e quello che nella villa non può più aver luogo: il percorso della rinascita, e nel suo non voler sopravvivere l'anguilla imita chi vi era chiamato, e si è negato all'appello[6].

Gli altri segnali si lasciano chiaramente identificare:

> la vecchia villa è scortecciata
> da un vetro rotto vedo sofà ammuffiti
> e un tavolo da ping-pong:

è l'ormai noto androne o solaio d'arredi smessi, molto meno nobili

[6] Il tertium comparationis si ferma qui, e come è la norma in Montale, non segue tutto un processo, che sarebbe una sorta di duplicazione, un'allegoria di secondo grado, ma s'inserisce in una storia unica come frammento di un'altra regione del mondo: si pensi a un paesaggio di piante e di animali che si raggruppino non secondo le loro specie, ma la loro segnatura. Viceversa ne *L'anguilla* è la "sorella" dell'animale simbolico che viene a trovarsi, ben caratterizzata dai "*suoi* cigli", "in mezzo ai figli / dell'uomo, immersi nel *suo* fango."

dei libri d'ore; il "vetro rotto", e anche la scortecciatura della villa hanno però una valenza simbolica su cui ritorneremo;

> e ristagna indeciso tra vita e morte
> un intermezzo senza pubblico.

L'"intermezzo", qualificato, per togliere ogni ambiguità, "senza pubblico", è l'elemento teatrale che mancava per completare il quadro, ed è tanto più significativo in quanto, nella lettera della poesia, è un tratto imprevisto. Non però un luogo intermedio fra vita e morte, ma, con opposizione ben più energica, un luogo di morte che potrebbe rivelarsi come luogo di vita. Allora l'"angoscia limbale" è quella dell'anima che soffre per la privazione della visione beatifica: la condizione di spirito delle anime raccolte nel limbo dantesco è infatti designata come "l'angoscia delle genti / che son qua giù" (*Inferno*, IV,19 sg.). Che il riferimento sia appropriato, crediamo di averlo mostrato nell'appendice; ora due considerazioni sul "limbo". La parola occorre anche in *Buffalo*: "Precipitavo / nel limbo dove assordano le voci / del sangue", e in *Costa San Giorgio*: "il mattino / un limbo sulla stupida discesa": il significato originario è "orlo", "contorno", ed è ancora sensibile in Dante, dove è trattato come nome comune: "quel limbo". In *Buffalo* si tratta di una corsa di *stayers*, e si ricorderà che la pista del velodromo è invasata e i ciclisti si mantengono su una fascia tanto più alta quanto più corron veloci, sicché appaiono come "sospesi": una posizione rischiosa da cui possono "precipitare" come il soggetto. In *Costa San Giorgio* la "stupida discesa" sembra scendere a spirale come in un imbuto – anche qui domina l'idea dell'inferno dantesco – e il "nemico muto" col suo torchio trascina ineluttabilmente verso il basso, il centro: in queste condizioni il "mattino" offre una sosta, un pianerottolo, per quanto precario. Ora non solo queste tre sole occorrenze sono allineate, ma la prima non è semplicemente "fisica", e la terza è, semanticamente e affetivamente, la più carica, contro la consuetudine dell'ultimo Montale di alleggerire le parole da impegni definitivi.

Così siamo ritornati agli "angeli": resta solo da sgombrare, o da mettere a fuoco, un paio di possibili equivoci. Che per esempio l'incertezza

> tra la catastrofe e l'apoteosi
> di una rigogliosa decrepitudine,

riguardi propriamente il futuro della villa, nessuno lo penserà: la "catastrofe" e l'"apoteosi" sono piuttosto i corni dell'alternativa in cui si dibattono coloro che, dice Dante, "in quel limbo son sospesi" (v.45): applicata alla villa, o ai destini degli inglesi che la presero a teatro della loro vita, non è neppure un'alternativa, terminando anche il secondo corno in una "decrepitudine" in punta di verso. Esistere o non esistere, essere vivi o morti, salvarsi o perdersi sono sovente, in quest'ultimo Montale, coppie d'opposti non abbastanza opposti perché l'uno garantisca dell'altro, e le alternative non sono parallele: è il "puzzle":

> Se il bandolo del puzzle più tormentoso
> fosse più che un'ubbia
> sarebbe strano trovarlo dove neppure un'anguilla
> tenta di sopravvivere.

Se la soluzione dell'indovinello non fosse una favola screditata, non potremmo aspettarci di trovarla... cioè, naturalmente, è proprio qui che dobbiamo cercarla: la villa ha gli esatti connotati dei luoghi dove si conservano le "spore del possibile", di un possibile non limitato a questo mondo, se i candidati alla nascita, la materia della nuova vita, erano "angli", destinati a diventare "angeli". Ma il "vetro rotto" è stato, non è il materiale indicato per farne la "lente tranquilla", e poi gl'inglesi non erano così pazzi (da credere alle ubbie e quindi) da farsi custodire, rinchiudere sotto vetro. Come avevamo indicato, i "custodi" custodiscono gli "angeli" e il loro rapporto non è di pari livello. Ritroviamo poi, motivata, l'associazione fonica "puzzle"-"pazzi" segnalata dall'Agosti[7].

Se ora le Muse evocate nei primi due versi sembra che non ci facciano nulla, le *Madri*, di cui le Muse sono una versione quotidiana ad uso personale, veramente non hanno nulla da fare, ma *positivamente*: se sembravano molto a loro agio nel luogo goethiano dove pure erano intente a una "ewige Unterhaltung", qui sono completamente disoccupate e grottescamente degradate: "appollaiate / sulla balaustrata", per la mancanza di materia prima per la loro opera, o perché questa è stata commissionata ad altri, al "custode" assente. È anche opinione del poeta che le Muse siano ormai un mito inutilmente attivo; così in *Proteggetemi* (in *Quaderno di quattro*

[7] *Ibidem.*

anni) egli prega i "custodi *suoi* silenziosi" che gli fanno il vuoto attorno:

> proteggetemi dalle Muse
> che vidi appollaiate
> o anche dimezzate a mezzo busto
> per nascondersi meglio
> dal mio passo di fantasma.

Il licenziamento delle Muse o Madri che siano lascia allo scoperto le figure del limbo e degli angeli (custodi o custoditi), il che dà alla poesia una tendenza decisamente cristiana: i due momenti, religioso ed estatico, che si oppongono da *Barche sulla Marna* in poi, sono unificati: la rinascita estatica è a un tempo il raggiungimento della beatitudine. L'unificazione è possibile, d'altronde, sulla base della perdita di esistenza e credibilità di entrambi, e infatti i custodi dovrebbero proteggere anche da loro stessi:

> proteggetemi persino
> dalla vostra presenza
> quasi sempre inutile
> e intempestiva.

L'interpretazione che abbiamo proposta corre tutta per le vie interne del simbolo, senza appoggiarsi, una volta superata la facile suggestione crepuscolare, a fatti emozionali, triste o lieto, negativo o positivo, in quanto "interessi" del poeta. Una carriera poetica cominciata nell'assidua distinzione, valutazione e deprecazione del bene e del male, delle ragioni di speranza e disperazione, termina nel silenzio emotivo di questi versi, che tengono nascosta fino alla fine una profondità ed emozione abissali.

Appendice. Ritengo in sostanza che il blocco centrale:

> È strana l'*angoscia* che si prova
> in questa deserta proda sabbiosa erbosa
> dove i salici *piangono* davvero
> e ristagna indeciso tra vita e morte
> un intermezzo senza pubblico. È
> un'angoscia *limbale* ...

risalga a un archetipo dantesco, e precisamente l'introduzione nel limbo, nel IV dell'*Inferno*. In corsivo anche qui le parole pertinenti:

> Ed elli a me: «L'*angoscia* delle genti
> che son qua giù, nel viso mi dipigne
> quella pietà che tu per tema senti. 21
> Andiam, che la via lunga ne sospigne.»
> Così si mise e così mi fe' entrare
> nel primo cerchio che l'abisso cigne. 24
> Quindi, secondo che per ascoltare,
> non avea *pianto* mai che di *sospiri*,
> che l'aura etterna facevan tremare. 27
> ...
> Gran duol mi prese al cor quando lo 'ntesi
> però che gente di molto valore
> conobbi che in quel limbo eran sospesi. 45

Se le "genti / che son qua giù" sono le anime del limbo, l'*angoscia* è strettamente legata al *pianto* e ai *sospiri*, e caratterizza la loro condizione, di cui Virgilio ha particolarmente pietà in quanto la condivide, e questa era la spiegazione del D'Ovidio. Ma mi si avverte che il limbo comincia al v.23, e il Sapegno annota: "Ma la frase *le genti che son qua giù* riecheggia l'altra del v.13 *qua giù nel cieco mondo* e sembra riferirsi a tutti gli abitatori della valle infernale. E d'altronde angoscia ha sempre in D. il valore di "travaglio fisico"; non può servire a indicare una pena soltanto spirituale, qual è quella assegnata alle anime del limbo". Quest'ultima asserzione è da verificare. Elenco di seguito le occorrenze di "angoscia" nell'opera poetica di Dante, avvertendo che quelle della *Vita nuova* e delle *Rime* possono non essere complete.

1. *Donna pietosa e di novella etate*, vv.15-16:
   Era la voce mia sì dolorosa
   e rotta sì dall'angoscia del pianto ...
2. *Gli occhi dolenti per pietà del core*, v.43:
   Dannomi angoscia li sospiri forte,
3. id., v.57 sg.:
   Pianger di doglia e sospirar d'angoscia
   mi strugge il core ovunque sol mi trovo.
4. *Così nel mio parlar voglio esser aspro*, vv.22 sg.:
   Ahi angosciosa e disperata lima
   che sordamente la vita mi scemi.

5. *Voi che 'ntendendo il terzo ciel movete*, v.26:
sed e' non teme angoscia di sospiri,
6. *Amor, da che conven pur ch'io mi doglia*, vv.28-30:
L'angoscia, che non cape dentro, spira
fuor de la bocca sì ch'ella s'intende,
e anche agli occhi lor merito rende.
7. *Inf*, VI, 43:
E io a lui: «L'angoscia che tu hai ...
8. *Inf*, IX, 82 sgg.:
Dal volto rimovea quell'aer grasso,
menando la sinistra innanzi spesso,
e sol di quell'angoscia parea lasso. 84
9. *Inf*, XX, 5 sg.:
nello scoperto fondo,
che si bagnava d'angoscioso pianto. 6
10. *Inf*, XXIV, 112 sgg.:
E qual è quel che cade, e non sa como,
per forza di demon che a terra il tira,
o d'altra oppilazion che lega l'omo 114
quando si leva, che 'ntorno si mira
tutto smarrito della grande angoscia
ch'elli ha sofferta, e guardando sospira ... 117
11. *Inf*, XXXIV, 78 sg.:
lo duca, con fatica e con angoscia,
volse la testa ...
12. *Purg*, IV, 115 sg.:
Conobbi allor chi era, e quell'angoscia
che m'avacciava un poco ancor la lena,
non m'impedì l'andare a lui ... 117
13. *Purg*, XI, 28 sgg.:
disparmente angosciate tutte a tondo
e lasse su per la prima cornice,
purgando la caligine del mondo. 30
14. *Purg*, XXX, 97 sgg.:
lo gel che m'era intorno al cor ristretto,
spirito e acqua fessi, e con angoscia
della bocca e delli occhi uscì dal petto. 99
15. *Par*, V, 111:
di più savere angosciosa carizia.

Procederemo in modo il più possibile formale, per non dover decidere che cos'è fisico e che cosa spirituale. Classifichiamo le occorrenze a seconda che l'angoscia sia o no accompagnata da una determinazione di causa o d'effetto. Troviamo così:

A, senza determinazione: 4,7,8,11,12,13,
B, con determinazione: 1,2,3,5,6,9,10,14,15.

D'altronde nel gruppo A, che comprende anche aggettivi, l'angoscia non è accompagnata da determinazione di sorta, tranne "disparmente" in 13, che non è di qualità. Nel gruppo B, tranne che per 15, la determinazione è sempre di pianto e sospiri, che sono a volte effetto dell'angoscia, a volte causa, nel senso che pianto e sospiri tolgono il fiato: così intende D. De Robertis, nel commento alle *Rime*. Otteniamo i raggruppamenti che seguono:

B1: 3,6,(9),10,(14)
B2: 1,2,5,(9),(14).

Una classificazione più formale si ottiene distinguendo i casi in cui nelle immediate vicinanze compare il pianto, o i sospiri, o entrambi. Si trova:

C1: solo pianto: 1,9
C2: soli sospiri: 2,5,10
C3: entrambi: 3,6,14.

A seconda che l'angoscia appartenga a B1 (causa) o B2 (effetto) si tratterà di travaglio spirituale o fisico: distinzione non necessaria e non univoca. Esaminiamo ora le occorrenze di A. In 11 e 12 angoscia vale "affanno", "fiato grosso", che è il significato originario; l'esempio 4 appartiene a questo gruppo per la particolare qualità del linguaggio delle petrose, che dà per metafora dello struggimento amoroso un oggetto materiale come la "lima", qualificata però di "angosciosa"; in 7,8,13 vale non semplicemente "sofferenza fisica", che è piuttosto "tormento", ma "molestia", "sforzo", anch'esso in fondo riconducibile all'affanno: oggi si chiamarebbe "stress", escludendo così le angoscie moderne, nevrasteniche o esistenziali. Questo è chiaro per 8, dove il messo celeste ha l'unico fastidio di doversi a ogni momento ripulire il volto; in 7 l'"angoscia" di Ciacco è dovuta al fastidio (intenso) della pioggia battente, vedi v.48 sg.: "e hai sì fatta pena / che s'altra è maggio, nulla è più spiacente", mentre la pena è chiamata "affanno" al v.58. In 13 l'angoscia è certo assai prossima a un tormento, ma è anche vero che questo consiste in un grande sforzo fisico. Questi tre casi hanno una caratteristica in comune: in 13 i superbi purgano "la caligine del mondo", in 8 il messo deterge "l'aer grasso", in 7 l'angoscia include la bruttura che rende Ciacco irriconoscibile: lo sforzo è in tutti i tre casi quello, vano o prolungato, di ripulire le anime.

Nessuno di questi significati si adatta all'"angoscia delle genti", che pure appartiene, entro la sua terzina, al gruppo A, e naturalmente non escludo che valga "tormento" o giù di lì: ma mi sembra inevitabile legare quest'angoscia di v.19 col "pianto" e i "sospiri" di v.24, a dispetto del confine del limbo che passa fra i due versi; e che il complesso *unitario* si sia rovesciato, consapevolmente o no, nel passo di Montale.

9
IL GALLO CEDRONE

Da *Barche sulla Marna* in qua, abbiamo mostrato come si svolge nell'opera di Montale l'idea che là appare per la prima volta chiaramente formulata, di un raccogliersi della natura e del destino dell'uomo su tre livelli, che abbiamo chiamato il vitale, il religioso e l'estatico, in corrispondenza coi termini non solo gnostici di σάρξ, ψυχή e πνεῦμα. Abbiamo notato come l'opzione dell'estatico porta, data l'irrinunciabilità del vitale, a una difficile sintesi dei livelli minimo e massimo, che si oppone alla più semplice e "popolare" coesistenza dei primi due livelli, del corpo e dell'anima nel religioso: nella vita non tanto religiosa quanto religiosamente fondata e regolata. Della sintesi più ardua la donna si offre naturalmente come portatrice. Un episodio un po' sbrigativo della vittoria di lei sul religioso è *Le processioni del '49*, dove le manifestazioni di una devozione un po' frusta sono respinte dall'intervento della creatura superiore:

> La tua virtù furiosamente angelica
> ha scacciato col guanto i madonnari
> pellegrini, Cibele e i coribanti.

Come nella terza strofetta dell'*Elegia di Pico Farnese*, la devozione popolare non va senza contaminazione carnale ("Cibele e i coribanti", il culto orgiastico), mentre il gesto della mano guantata non manca di suggestioni rituali: il guanto del vescovo... Ma osserviamo piuttosto il materiale dei versi precedenti:

> se non fosse
> per quel tuo scarto *in vitro*, sulla gora,
> entro una bolla di sapone e insetti.

La gora, gl'insetti sono elementi della vitalità elementare, e la "bolla di sapone" ha un remoto antenato nell'"acquiccia insaponata" di *Flussi*, il cui significato trova qui conferma. Ma all'estatico appartengono la "bolla" e l'"*in vitro*", ancora una volta realizzano la "lente tranquilla", che con la bolla sembra posarsi sul fermento elementare e rinchiuderlo nella sua trasparenza. Lo "scarto" è riuscito e funziona immediatamente: sappiamo che non è sempre così.

Ma non ce n'è solo per la donna, nè l'uomo può limitarsi ad annunciare e contemplare. *Il gallo cedrone* (la cui occasione si troverà in *Sulla Strada di Damasco*, in *Fuori di casa*[1]), di poco anteriore alle *Processioni*, è il più puro precipitato della sua, di lui, vicenda. Ne abbiamo lasciato in pegno un paio di versi parlando delle "vampate" e delle "scintille" in *Notizie dall'Amiata*, dov'era più acuta la rivendicazione di una via personale e superiore. Come il falco (simile però alla donna in quanto naturalmente "cala") il grande uccello realizza nell'ordine della natura la sintesi degli estremi, e la sua vita è stata lo spiegamento eroico del vitale:

> rossonero
> salmì di terra e cielo a fuoco lento.
> ...
> Zuffe di rostri, amori, nidi d'uova
> marmorate, divine!
> ...
> Giove è sotterrato.

Il dio che fa deporre uova alle donne (benché sotto l'aspetto d'un cigno) è l'esemplare che si riproduce in un numero assai ridotto di copie nel gallo di montagna. Ma il soggetto non ha ricevuto una fucilata, si è lanciato a superare un ostacolo ed è caduto a far compagnia all'uccello, e lì, "nel fosso", ne condivide il destino:

> Sento nel petto la tua piaga, sotto
> un grumo d'ala; il mio pesante volo
> tenta un muro e di noi solo rimane
> qualche piuma sull'ilice brinata.

L'identificazione (o contaminazione) è molto profonda. Certo l'ala rudimentale (il "grumo") spiega la caduta, ma i tetraonidi sono in genere cattivi volatori. Le piume del gallo e del soggetto si

[1] E.M., *Fuori di casa*, Milano-Napoli, Ricciardi, 1969, pp. 79 sgg.

confondono "sull'ilice brinata". Il particolare non è realistico: la brina è un residuo della "volta diaccia" di *Palio*, e come "pruina" associata alla "fede" e al "vischio ... sospeso grappolo" figura in *Di un natale metropolitano*: sono dettagli già noti. Il soggetto, uccello would-be, voleva superare un muro, quel muro che coll'"ilice" forma un complesso già noto dall'"alberaia" di *Barche sulla Marna*, voleva levarsi all'estatico ed è rimasto preda del livello intermedio, anzi del fondo puramente fisico di esso, del "fosso", del "magma", del "limo". La cottura, il "lento fuoco", la "fiamma" rappresentano la condizione di una sensualità chiusa e affocata, che non può spiegarsi liberamente come la vitalità degli dei.

Ma c'è altro nel "salmì", ed ecco il passo lasciato in pegno:

> Ora la gemma
> delle piante perenni, come il bruco,
> luccica al buio...

Per il luccichio al buio sono stati già raccolti i luoghi pertinenti, il "gelo / fosforico d'insetti" di *Costa San Giorgio*, la "traccia di filigrana" e la "luce" scandita o non scandita dalla "sbarra in croce" di *Palio*; il "bruco" è la farfalla in crisalide, a cui non mancherà più tardi un suo ruolo, come la "gemma" è l'inizio della foglia, e non è un'ardua estrapolazione vedere nelle "piante perenni" la perpetuità di una singola religione sempre risorgente, o di "Tutte le religioni del Dio unico". E l'"Ora" ("Ora la gemma ...") segna il preciso momento in cui il soggetto caduto si abitua al buio e scopre un barlume di luce. Il fallimento del volo nello spirito finisce nel buio appena illuminato della fede, confortato è vero dall'ardore dei sensi.

Questa sorta di groviglio di due figure e due destini, il gallo cedrone e il soggetto, il volo fulminato e il tentativo fallito, si continua in due linee distinte, una delle quali riguarderà la cottura e il rischio della fede, l'altra il volo interrotto. Possiamo seguirle separatamente.

Due poesie quasi contigue in *Satura I*, emtrambe del (1969), diventano comprensibili sulla base dell'interpretazione precedente. La prima è:

> Déconfiture non vuol dire che la crème caramel
> uscita dallo stampo non stia in piedi.
> Vuol dire altro disastro: ma per noi sconsacrati
> e non mai confettati può bastare.

Lorenzo Greco[2] commenta: "... il tema è quello (noto) della disarmonia montaliana rispetto a qualsiasi attività pratica della vita (figuriamoci quella bancaria!) ... Ed è la satira, come corrosione critica di strutture profonde." Infatti *déconfiture* significa dissesto, insolvenza, non però necessariamente bancaria, mentre *confire* vale anche *confettare*; similmente il nostro *decozione* equivale a *déconfiture* ma significa anche cottura, preparazione di un decotto. Siamo nel giro di pensieri e immagini del *Gallo cedrone*, e la lunga cottura a fuoco lento è la "cottura" religiosa, la cui cattiva riuscita è espressa nella frase "sconsacrati / e non mai confettati", i cui due termini si lasciano trascrivere come "scampati alla cottura" e "mai cotti a puntino". Così il "può bastare" va accostato all'ultimo verso di *Xenia 10*: "«È sufficiente» disse il prete.", dove si tratta del Cristianesimo poco impegnativo di Mosca (che pregava «anche per i suoi morti / e per me»; ed è l'efflorescenza di vita religiosa registrata negli ultimi versi della seconda parte di *Notizie dall'Amiata*): quello che qui può bastare è la mediocre riuscita della crème caramel mentre *déconfiture* "Vuol dire altro disastro", non la decozione finanziaria o il disfacimento completo del prodotto culinario, ma al contrario la sua buona riuscita, la "confettura" e la "consacrazione".

La seconda, *La morte di Dio*, segue a poche pagine la *Déconfiture*, benché a quel che pare la preceda nell'ordine del tempo:

> Tutte le religioni del Dio unico
> sono una sola: variano i cuochi e le cotture.
> Così rimuginavo; e m'interruppi quando
> tu scivolasti vertiginosamente
> dentro la scala a chiocciola della Périgourdine,
> e di laggiù ridesti a crepapelle.

Sarebbe chieder poco, anche al più diluito ultimo Montale, se si spiegasse: l'amica (si tratta della Mosca) non si è fatta niente, anzi ci ha riso sopra, nonostante il mio rimuginare: vuol proprio dire che Dio è morto, e non è più in grado d'intervenire. Certo la risata interrompe non solo il rimuginare, ma anche l'aspettativa di un castigo dovuto sia al pensiero come alle immagini basse in cui si esprimeva. Ma che l'amica cadendo "dentro la scala a chiocciola" s'infortunasse o rimanesse illesa, il pericolo vero era nel significato sim-

[2] *Montale commenta Montale,* cit., p. 167.

bolico dell'incidente: il luogo con "i cuochi e le cotture" è un ristorante, e la caduta può essere, come quella del gallo cedrone, in una pentola, con in prospettiva l'inferno o una crisi mistica. È questo il timore che la risata "a crepapelle" dissipa, per cui la rimuginazione può continuare: "Anche il papa / in Israele disse la stessa cosa ...", e quindi il pensiero non era in fondo blasfemo e non era da aspettarne una punizione: anzi il sapere che il "sommo Emarginato" fosse "perento" era per il papa un motivo per mettersi a tacere, come per il poeta una conferma della propria sicurezza. La conclusione: "Fu una buona serata con un attimo appena / di spavento" è del tutto giustificata.

Possiamo inserire a questo punto la *Storia di tutti i giorni*, in *Quaderno di quattro anni*, dove, come l'"escatologia" è un momento frusto e poco vincolante del religioso, la sua immagine, la torta che si sbriciola, è sul versante discendente del disfarsi, opposto a quello ascendente della cottura:

> L'unica scinza che resti in piedi
> l'escatologia
> ...
> Che importano le briciole va borbottando
> l'aruspice,
> è la torta che resta, anche sbrecciata,
> se qua e là un po' sgonfiata.

Nel "resta in piedi" si può sentire un richiamo dello stare in piedi della *Déconfiture*.

Non è l'ultima parola su questo tema specifico – non parlo naturalmente delle volte in cui Dio è nominato o implicato –, perché in *Altri versi* troviamo ancora *Un invito a pranzo*, del 1978:

> Le monachelle che sul lago di Tiberiade
> reggevano a fatica un grande luccio
> destinato dicevano a Sua Santità
> mi chiesero di restare qualora il Santo Padre
> dichiarasse forfait (il che avvenne dipoi).
> ...
> Un luccio oppure un laccio?

Senza ritornare sui temi già noti e che qui ricompaiono, notiamo che il pesce non è certo casuale, e non manca l'idea un po' blasfema che possa fornire un buon pasto eucaristico, e il curioso rapporto col "Santo Padre", che qui diventa addirittura di supplenza, perché il Papa dichiara "forfait" mentre il poeta è "atteso sul monte degli Ulivi".

Seguiamo ora la linea dell'uccello abbattuto, avvertendo che l'uccello è quasi sempre il correlato o il termine di paragone di qualcun altro, e un paio di volte non è neanche un uccello. La poesia seguente, *La cultura* (1975), in *Quaderno di quattro anni*, è in un certo senso una continuazione diretta del *Gallo cedrone*:

> Se gli ardenti bracieri di Marcione e di Ario
> avessero arrostito gli avversari
> (ma fu vero il contrario)
> il mondo avrebbe scritto la parola fine
> per sopraggiunta infungibilità.
> / Così disse uno che si forbì gli occhiali
> e poi sparò due colpi.
> Un uccello palustre cadde a piombo.
> Solo una piuma restò sospesa in aria.

Benché Ario non fosse gnostico, e Marcione lo fosse solo per metà, è proprio il volo gnostico, nella forma estrema dell'encratismo, ad essere interrotto. È nota di Marcione l'ostilità per l'Antico Testamento, come fosse il religioso nel sistema montaliano. L'"uccello palustre" è un po' inaspettato in questo contesto, ed è raro se non inesistente nella poesia di Montale: si direbbe che sia stato preso per isbaglio, e infatti il "forbirsi gli occhiali" non è segno di vista acuta. Col gallo cedrone egli ha in comune "solo una piuma", e la sua dimora acquatica potrebbe farne una sorta di precotto: ancora nella stessa direzione alimentare mira il destino degli eretici di essere "arrostiti".

Ancora su questa linea culturale, troviamo due poesie dove a ricevere lo sparo non è un uccello, ma la ben nota farfalla dantesca, *Purg.*, X,121 sgg. Le due poesie fanno forcella sulla precedente, ma nel tardo Montale la datazione, come indice di sviluppo tematico, è poco significativa. La prima, in *Diario del '72*, è *L'élan vital*:

> Depreco disse il bruco e la connessa
> angelica farfalla che n'esce per estinguersi
> con soffio di fiammifero svedese.

La seconda, *A caccia*, è in *Altri versi*:

> C'è chi tira a pallini
> e c'è chi spara a palla.
> L'importante è far fuori
> l'angelica farfalla.

C'è però una differenza fra le due "farfalle": la prima emerge dal "bruco", che è quello della pentola religiosa del *Gallo cedrone*, perciò, vorremmo dire, non le si spara. Ma la differenza è quasi impercettibile nel contesto delle due poesie; nella prima il professore che, appunto, "depreca", è il portavoce del frastuono cosmico (e relativa cultura): "Non c'è altro dio che il Rombo, / non il pesce ma il tuono universale / ininterrotto, l'antiteleologico"; il commento alla seconda possiamo trovarlo in *Può darsi*, che è la seguente nella raccolta: "Può darsi che il visibile sia nato / da una bagarre di spiriti inferociti".

"Solo nel cosmo" potrebbe dir di sè il poeta che sfugge a fatica alla caccia universale, ne *Il tiro a volo* (in *Diario del '71*):

> Mi chiedi perché navigo
> nell'insicurezza e non tento
> un'altra rotta? Domandalo
> all'uccello che vola illeso
> perché il tiro era lungo e troppo larga
> la rosa della botta.

La situazione personale riproduce lo stato del mondo con qualche variante:

> Anche per noi non alati
> esistono rarefazioni
> non più di piombo ma di atti,
> non più di atmosfere ma di urti.
> Se ci salva una perdita di peso ...

che sarà un modo di passare inosservati, ma è anche un diradarsi del mondo: come la nebulosa di Laplace il cosmo montaliano va dalla dispersione estrema, quasi un'ontologia del nulla, al riaddensarsi della materia residua, "la minugia, il fuscello" come in *Tra chiaro e scuro*, che è subito un ritorno di vita.

Dobbiamo immetterci ora in un'altra linea, e ci può servire di trapasso una poesia del *Diario del '72*, *La caccia*, un epigramma dove lo sparo ritorna irresistibile, quanto per una volta senza conseguenze:

> Si dice che il poeta debba andare
> a caccia dei suoi contenuti.
> ...
> / Ma nel mondo peggiore si può impallinare
> qualche altro cacciatore oppure un pollo
> di batteria fuggito dalla gabbia.

Una caccia agli uccelli senza implicazioni simboliche sembra che non compaia nella poesia di Montale fino a questo momento: settembre-ottobre 1972. Questa è datata 8 ottobre 1972, e 28 settembre *Annetta*, già citata, su cui ritorneremo per una dettaglio che non abbiamo menzionato. Ma che da ragazzo possedesse una carabina, e quindi fosse meglio provveduto dei suoi coetanei, il poeta lo ricorda ne *La Casa delle due palme*, nella *Farfalla di Dinard*: "Federigo ... rivide il pioppo inclinato vicino alla serra, dove aveva colpito col Flobert il primo uccellino ...", e ne *Il bello viene dopo* un signore racconta del beccafico colpito mentre si posa sul pioppo e cotto "su un buon fuoco di pigne". In un altro racconto due ragazzi, di cui uno è il poeta, vanno a caccia di un mitico rapace, *La busacca*, con un'attrezzatura primordiale e altamente pericolosa, e dopo uno sparo senza conseguenze per l'uccello che forse non esiste sono soccorsi da un minatore (e da un frate zoccolante), e ricordiamo allora i minatori di *Punta del Mesco* e gli ultimi due versi: "mi torna la tua infanzia dilaniata / dagli spari!" Il tema dell'uccello ferito diventa quasi compulsivo ne *I nascondigli II* (in *Altri versi*): "Non era il flauto della gallina zoppa / o di altro uccello ferito da un cacciatore?", ma s'infittisce e raggiunge di nuovo il simbolico in *Ottobre di sangue* (in *Altri versi*), che cade a proposito anche per le figure dei cacciatori gente semplice:

> e fermi al loro posto
> con i vecchi fucili ad avancarica
> imbottiti di pallettoni
> uomini delle mine e pescatori
> davano inizio alla strage dei pennuti,

che sono i colombacci di passo. Uno di questi vien portato in salvo, ma questo non gli risparmia una fine indegna di lui, perché "un brutto gatto rognoso" se lo mangia. La diversa fine che avrebbe meritato sarebbe stata altrettanto alimentare:

> Poteva forse morire sullo spiedo
> come accade a chi lotta con onore,

ma in cambio dell'onore negato, gli viene riconosciuto un valore spirituale:

> Passione e sacrificio anche per un uccello?
> Me lo chiedevo allora e anche oggi nel ricordo.

Gli ultimi versi della prima stesura sono assai più compromessi:

> Non assistei al sacrifizio, ma quando lo ricordo
> una parola sola forse sproporzionata
> mi viene alla memoria in lettere capitali
> e non me ne vergogno; ed è
> LA PASSIONE.

Sembra che, evitato il simbolo indiretto del gallo cedrone, sfiorato con la menzione dello spiedo, si trattasse di sfuggire al simbolo ben altrimenti diretto di un Cristo in forma animale: l'interrogazione: "Passione e sacrifizio ..." non vuol tanto metterne in dubbio il significato, quanto diminuirne l'impegno accampando un dubbio ontologico: ci sono cose che non esistono...

L'ultimo uccellino non puramente simbolico della nostra rassegna è un dettaglio di quella *Annetta* che abbiamo analizzata nel capitolo precedente, un dettaglio che abbiamo tenuto in serbo di proposito:

> Altra volta salimmo fino alla torre
> dove sovente un passero solitario
> modulava il motivo che Massenet
> imprestò al suo Des Grieux.
> Più tardi ne uccisi uno fermo sull'asta
> della bandiera: il solo mio delitto
> che non so perdonarmi.

Non: il mio solo delitto e neanche quello so perdonarmi, ma: il solo dei miei delitti che non sappia perdonarmi, se dobbiamo prestar fede alla testimonianza della *Farfalla di Dinard*. La tentazione è forte di vedere in questo una specie di ricordo di copertura, da associare alla Dafne della foce del Bisagno: l'"asta / della bandiera", meno naturale del "pioppo inclinato" già visto, è associata all'esibizione stessa di Annetta. Il "passero solitario" comparirà ancora ne *I nascondigli II* (in *Altri versi*): "Il solito uccellino color lavagna / ripete il suo omaggio a Massenet". Son quasi assolutamente sicuro che ancora Annetta è la "capinera" di alcune poesie con le quali chiudo il capitolo.

Benché il poeta dichiari in *Domande senza risposta* (1975, in *Quaderno di quattro anni*):

> non c'è depositaria del mio cuore
> che non sia nella bara. Se il suo nome
> fosse un nome o più nomi non conta nulla ...

le figure delle "depositarie" sono ben differenziate e si potrebbe raccogliere di ciascuna un profilo non tanto evanescente, se opportunamente integrato. Di una leggiamo in *Due destini* (in *Quaderno di quattro anni*): "Clizia fu consumata dal suo Dio / ch'era lei stessa", avendo saputo "ciò che quasi nessuno dice vita", e in *Una lettera che non fu spedita* (nella medesima raccolta) è ancora definita come "chi era e sarà folgorata dal sole". Si potrebbero raccogliere altre formulazioni simili a queste.

Le poesie della capinera che ci riguardano sono in *Quaderno di quattro anni* e precisamente: *Per un fiore reciso* (I), datata 14.3.75; *La capinera non fu uccisa* (II), 25.4.75; *Se al più si oppone il meno il risultato* (III), 24.5.75, ma c'è una prima stesura del 21.4; *Quella del faro* (IV), 13.3.77. Al contrario di Clizia che è più che esistente, la capinera, "genio / di pura inesistenza", è la appena esistente, ma essa trova nella natura una creatura di altrettanta tenuità ontologica, in cui diventa cosciente della propria natura e consente al proprio destino: I:

> Sono la capinera che dà un trillo
> e a volte lo ripete ma non si sa
> se è quella o un'altra.

Nello stesso modo discontinuo la luce del faro "sull'opposta costiera" appare e scompare e appare di nuovo: III:

«Anche il faro, lo vedi, è intermittente,
forse è troppo costoso tenerlo sempre acceso.

Ma si sa che il faro è sempre lo stesso e nello stesso luogo ad ogni riapparire, il che delle capinere che si mostrano di rado e comunque non sono ferme e fisse non si può dire. Ma è la propria sorte di lei a riflettersi in quella degli uccellini:

Perché ti meravigli se ti dico che tutte
le capinere hanno breve suono e sorte.
Non se ne vedono molte intorno. È aperta la caccia.

Questa è la loro sorte perché altro non le suggerisce la sua propria, ma così definita tale sorte non può che essere a sua volta la sua (questa riflessione non so se ingarbugliata o profondamente dialettica non disdice all'anima semplice, come vedremo, della capinera):

Se somigliano a me sono contate
le mie ore o i miei giorni.»

La "vera notizia" intorno a lei è in II:

La capinera non fu uccisa
da un cacciatore, ch'io sappia.
Morì forse nel mezzo del mattino. E non n'ebbi mai notizia.

Strana questa precisazione "nel mezzo del mattino", in mancanza di notizie: non è neppure l'ora più probabile per morire. Ma non è la prima volta che Montale introduce un momento simbolico come fosse un dettaglio solo un po' improbabile in un insieme "realistico". In IV:

Suppongo che tu sia passata
senza lasciare tracce. Sono certo
che il tuo nome era scritto altrove, non so dove,

si ripete o forse debolmente si nega quello che era già stato detto in I:

Una traccia invisibile non è per questo
meno segnata?

per ricavarne un "segno di elezione", incomprensibile per chi ha la garanzia di un "posto al mondo". (Va notato però che, per collimare con la risposta di lei: "è un fatto che non mi riguarda", è di troppo il segno interrogativo o la negazione.) In questa sequenza la datazione è cruciale, come mostra la corretta successione I, III, II, mascherata dalla data della seconda stesura di III, e il tratto epigrammatico di IV, indizio al solito di meno intensa partecipazione. Ma il fatto che la capinera non fosse stata uccisa da un cacciatore, non fosse l'uccellino "sull'asta della bandiera" contiene una caratterizzazione più profonda, se vogliamo applicare in negativo la correlazione fra il volo (gnostico nel senso della conoscenza e della rivelazione) e l'essere abbattuto. Di quel volo la capinera (l'Annetta i cui "voli senz'ali", in *Vento e bandiere*, erano le oscillazioni dell'amaca) non era capace, III:

> Se al più si oppone il meno il risultato
> sarà destruente. Così dicevi un giorno
> mostrando rudimenti di latino
> e altre nozioni.

Nella prima stesura l'argomentazione era un po' meno elementare: ma proprio questa elementarità, in cui si riconosce d'altronde un'idea costante del poeta, vuol provare che la capinera era destinata a un altro trapasso perché era negata al volo e nessun cacciatore l'avrebbe uccisa. Della natura del trapasso qualcosa ci dicono due poesie di *Altri versi*: "*Quando la capinera* fu assunta in cielo," di cui basta il primo verso, e la seguente *Cara agli dei*:

> Vista dal nostro balcone
> in un giorno più chiaro d'una perla
> la Corsica appariva sospesa in aria.
> È dimezzata dicevi come spesso
> la vita umana.

Il titolo significa ovviamente che "muor giovane chi è caro agli dei", o almeno che non è sicuro che la lunga vita sia un dono ("Non so ancora se più caro o discaro agli Dei"), ma se la Corsica "dimezzata" è simbolo della vita, allora ciò che di essa manca non è il lungo seguito, ma la breve parte vissuta sulla terra.

10
IL TUO VOLO

Conviene riportare la poesia per intero:

> Se appari al fuoco (splendono
> sul tuo ciuffo e ti stellano
> gli amuleti)
> due luci ti contendono
> al borro ch'entra sotto
> la volta degli spini.
> / La veste è in brani, i frútici
> calpesti rifavillano
> e la gonfia peschiera dei girini
> umani s'apre ai solchi della notte.
> / Oh non turbar l'immondo
> vivagno, lascia intorno
> le cataste brucianti, il fumo forte
> sui superstiti!
> / Se rompi il fuoco (biondo
> cinerei i capelli
> sulla ruga che tenera
> ha abbandonato il cielo)
> come potrà la mano delle sete
> e delle gemme ritrovar tra i morti
> il suo fedele?

Codesta versione è uscita in *Parallelo*, anno I, n.1, Primavera 1943, insieme a *Giorno e notte*, ed è preceduta da un testo dattiloscritto in data 11.2.1943. La poesia, per quanto giudicata dal poeta[1] "non incomprensibile", si presenta non solo alla prima come un'intersezione pressoché inestricabile di varie linee tematiche. 1) Gli elementi del "borro ch'entra sotto / la volta degli spini" compaiono, non ancora sintetizzati, in *Fine dell'infanzia*:

[1] BC, p. 948.

> So che strade correvano su fossi
> incassati, tra garbugli di spini;
> mettevano a radure, poi tra botri ...

L'apparire stesso come in un corridoio è già in *Personae separatae*, di pochi mesi anteriore: "la scaglia d'oro che si spicca / dal fondo oscuro e liquefatta cola / nel corridoio dei carrubi ormai / ischeletriti". Notiamo pure, dal momento che la "scaglia d'oro" è, a detta del poeta, una "stella filante", gli "amuleti" che "stellano", spiccano come stelle sulla figura di lei, oppure fanno di lei una stella. 2) L'arrivo della donna è glorioso e insieme sofferente: "La veste è in brani", come in un *Mottetto*: "Ti libero la fronte dai ghiaccioli / ... / ... hai le penne lacerate / dai cicloni ..."; in *Giorno e notte*: "... il colpo che t'arrossa / la gola e schianta l'ali, o perigliosa / annunziatrice dell'alba"; in *Sulla colonna più alta*: "scura, l'ali ingrommate, stronche dai / geli dell'Antilibano"; in *Luce d'inverno*: "quando lasciai le cime delle aurore / disumane ... / ... (tu stavi male, / unica vita)": la discesa del soggetto è anche discesa della donna che vi trova la sua passione e la sua gloria. 3) Nella prima e ultima strofa si oppongono lo stile adolescente della donna che "appare al fuoco", il "ciuffo", gli "amuleti" – più o meno le "giade" o altra bigiotteria – la veste a brani, il tentato, forse ludico addentrarsi "sotto la volta degli spini", e lo stile maturo di quella che "rompe il fuoco": i capelli "biondo / cinerei", che s'immaginano lisci, la "ruga ... tenera" che esprime oltre l'età meno giovanile la "tenera" preoccupazione per coloro pei quali la donna "ha abbandonato il cielo"; l'esperienza delle cose preziose, "sete" e "gemme", questa volta autentiche e irreali, come nel precedente remoto dal quale sono ritornate pressoché immutate, *Caffè a Rapallo*:

> profili di femmine
> nel grigio, fra lampi di gemme
> e screzi di sete.

Si dice inoltre la "mano" di un tessuto per la sensazione che dà a toccarlo. 4) Il fuoco, le "cataste brucianti" possono avere una rilevanza bellica, come io non cesso mai di non credere; leggiamo p. es. ne *L'arca*: "questa terra folgorata dove / bollono calce e sangue nell'impronta / del piede umano"; ma anche, in *Personae separate*: "il fuoco ... che a terra stampi / figure parallele ...". Ci avverte il poeta[2]:

[2] BC, p. 944.

"Da non prendersi troppo letteralmente, qui e altrove, lo sfondo di guerra." Infatti questo fuoco (spirituale) deve stampare "ombre concordi". Ed esiste anche, nelle immediate vicinanze, il fuoco dei sensi e dei loro incubi (*Giorno e notte*) "che non possono / ritrovare la luce dei tuoi occhi nell'*antro / incandescente*", e più lontano in *Incantesimo* (1948): "*incandescente*, / nella lava che porta in Galilea / il tuo amore profano" (bruciando nel tuo amore profano che pure rapprendendosi pavimenta la strada della "Galilea"), e in *Se t'hanno assomigliato* (1949): "perché i ciechi non videro il presagio / della tua fronte *incandescente*". La costanza del termine può nascondere una specializzazione semantica che sul momento non saprei cogliere. 5) E infine l'elemento che conosciamo ormai molto bene, l'acqua nella duplice forma del corso d'acqua, o meglio del condotto, il "borro ch'entra / sotto la volta degli spini", e dello stagno, la "peschiera dei girini / umani", dove non cercheremo le "donne barbute" e gli "uomini-capre", e neppure i "nati-morti" de *La frangia dei capelli*. Si tratta invece non di una sottospecie, ma degli "umani" in genere, e degli uomini in particolare, nel loro irriflesso (perché son tali fin dalla nascita) e brulicante empito sessuale. All'acqua si associa (ma è un elemento distinto, come vedremo) 6) la risposta del mondo vegetale: i "frùtici" che "calpesti rifavillano", che si piegano un istante sotto il passo della nuova presenza per rialzarsi più vigorosi, ciò che è espresso dalla nuova luminosità, qui come più tardi in *Sulla colonna più alta*: "il tuo lampo mutava in vischio i neri / diademi degli sterpi": questo ricco accostamento è già un'indicazione che il vegetale non si trova esattamente sulla linea dell'acqua.

In ogni caso è vero che nell'acqua e nella vegetazione si manifesta l'efficacia della donna, e possiamo azzardare che anche il fuoco, in quanto fuoco d'amore, può essere fomentato dal suo apparire: non acceso, perché il materiale d'amore è già lì pronto a catturarla e scaricarla sull'"immondo vivagno", orlo del "borro" o della "peschiera", e discrimine fra l'acqua e il fuoco. È un invito, quello degli elementi inturgiditi, alla perdizione, che si fa concreto proprio fra l'acqua e il fuoco, che ne è l'agente, e la donna è esortata, non solo a "non toccare", a fermarsi al di qua del fuoco, ma neppure "turbare", nel senso di farsi sentire dal fuoco, di eccitarlo: d'altra parte l'Afrodite adolescente col ciuffo "stellato" dagli "amuleti" ha una sua ignara purezza la cui preservazione è uno degli scopi della poesia in quanto allocuzione. Se ora ci proviamo a parafrasare la poesia, ecco che il fuoco si presenta come barriera: nella prima strofa la donna "appare al fuoco", provocando la tumescenza delle forze vitali (la "gonfia peschiera"); nell'ultima, diversamente provvista e in missione di soccorritrice, può attraversare il fuoco ("rompi il fuoco"), ma non più, proprio a causa del mutato suo *status*, ritrovare il suo "fedele": non è detto se superstite o morto fra le cataste.

La seconda e definitiva stesura, che abbiamo finora analizzata, ha arricchito, e forse sovraccaricato la poesia, che era già molto densa nella prima. Riportiamo qui di seguito le varianti:

> Se rompi il fuoco (pendono
> dal tuo ciuffo ...
> ...
> le felci si riaccendono
> nel borro ch'entra sotto
> la volta degli spini.
> / Crescono l'acque, i frútici
> sono travolti e scende
> alla gonfia peschiera dei girini
> umani ogni condotto della sera.
> ...
> / Se vinci il fuoco ...

Questa versione è sostanzialmente più semplice ed esplicita: 1) non v'è allusione a un viaggio doloroso, la donna non penetra, non entra neppure in contatto col "borro", e non vi si parla di "veste a brani"; di conseguenza non esistono ancora le "due luci" che "contendono" la donna al passaggio pericoloso; 2) il ruolo dell'elemento "eccitato" è assunto quasi soltanto dall'acqua, dalla quale "i frútici sono travolti"; alle "felci" che "si riaccendono" sono state sostituite, con parallelismo visivo ma non ideologico, le "due luci", e dei frutici non si dice più che sono travolti, che è operazione tipica dell'acqua ma che "rifavillano", ripristinando spostata l'accensione delle felci; nei "condotti della sera" si mantiene il termine per così dire tecnico, quale compare in *Nel sonno*, di cui si ripete qui l'apparato idraulico: "traboccar dai fossi, / rompere dai condotti". Così il volo della donna, privo di avventura "biografica", punta direttamente al luogo infernale, e solo quando l'ha raggiunto si fa udire l'ammonizione: "Oh non turbar l'immondo / vivagno ..." A conferma di questa lettura resta il fatto che nella prima strofa la donna non si limita ad "apparire al fuoco", destando una concupiscenza di cui ella sembra vagamente complice, ma "rompe il fuoco", lo attraversa di primo slancio, senza personale compromissione con le forze della vitalità.

Similmente, vorrei dire proporzionalmente, nell'ultima strofa la donna non "rompe" il fuoco, ma lo "vince", lo rende innocuo o forse lo spegne: la sua visita alle vittime "brucianti" della lussuria è un compito, un'"opera di carità" spirituale. Vivo o morto che sia il soggetto, e cercheremo di precisare la sua situazione, la donna più ancora che spiritualizzata, in "missione benefica", non saprà riconoscere "tra i morti" colui che non è del tutto sfuggito alla loro sorte, essendo anch'egli fornito di sensi e d'amore, che sono parte del legame con lei. Le sete e le gemme sono quindi una citazione precisa, che colloca la donna nel "tepidario / lustrante", "oltre i chiusi / cristalli", nel mondo delle "signore" inaccessibili. L'Iddia dai "capelli biondo cinerei" "non s'incarna".

Così la versione definitiva è innervata sulla compromissione e il pericolo della donna, ed a questa tematica appartengono le "due luci" che la "contendono" al borro, vorrebbero impedirle di penetrarvi. Suppongo che le due luci non sono "quelle del fuoco e degli amuleti", come dice distrattamente il poeta nell'autocommento[3]: ché a contendere la donna non sarebbero che diversi punti d'attrazione nel paesaggio. Con buona volontà si può magari intendere che il fuoco abbia funzione dissuadente, e gli amuleti protettiva, ma questo secondo non sarebbe un "contendere", un trattenere dall'addentrarsi. Io troverei un precedente ne *La canna che dispiuma* nei *Mottetti*:

> oltre le sue
> pupille ormai remote, solo due
> fasci di luce in croce.

Suppongo che il *Mottetto*, datato 1938, segua di poco la partenza di Clizia. "La croce", nota il poeta nell'autocommento[4], che mi scuso di trattare con disinvoltura, "è un simbolo di sofferenza"; è quindi proprio la *Croce*, vista come soccorso e protezione sullo sfondo degli occhi dell'amica. La croce è stata poi "sbarrata" in *Palio*, e "le due luci" sono rimaste qui ad assolverne il compito.

[3] BC, p. 947.
[4] BC, p. 916.

Una cortina di fuoco si trova nel girone dei lussuriosi, *Purgatorio*, XXV-XXVII, ed è descritta in XXV, vv.112-117:

> Quivi la ripa fiamma in fuor balestra,
> e la cornice spira fiato in suso
> che la reflette e via da lei sequestra;
> ond'ir ne convenia dal lato schiuso
> ad uno ad uno; e io temea il foco
> quinci, e quindi temea di cader giuso.

È l'ultima prova del cammino della purificazione, e Dante dovrà entrarci e attraversarlo come tutti i penitenti, mentre in questa poesia la barriera di fuoco è il limite e lo strumento d'un inferno, dove gli uomini "fumano forte", se addirittura non sono bruciati e accatastati: questo perché il mondo di Montale, di cui è qui evidente la componente gnostica, non contempla un proposito umano che collabori con la grazia e ne meriti l'intervento, ma solo una distinzione fra il mondo infero e questa terra che ne è la continuazione, al di sopra del quale può librarsi soltanto una creatura di ordine superiore, o meglio fornita di una grazia esclusiva. In lei il mondo dei sensi e il mondo estatico si succedono immediatamente, come abbiamo ripetuto a sufficienza da *Barche sulla Marna* in poi. Non si tratta solo di un lontano ricordo, perché fra i due testi vi è una sorta di omologia strutturale. In un primo tempo – fino a tutto il canto XXVI – i lussuriosi sono nel fuoco e Dante se ne tiene fuori con angosciosa attenzione, secondato dai penitenti che si fanno verso di lui, "sempre con riguardo / di non uscir dove non fossero arsi" (XXVI, 14 sg.); in un secondo tempo spetta a Dante di entrare nel fuoco, e Virgilio vince le sue esitazioni prospettandogli la vista dell'amata, XXVII, 35 sg.: "Or vedi, figlio: / Tra Beatrice e te è questo muro". Se vogliamo prestar fede a questa omologia d'altronde non poco parodistica, dobbiamo dedurne che nella terza strofa il soggetto non è fra le "cataste fumanti", e tanto risulta anche dalla lettera del testo, mentre nella quarta dovrebbe trovarsi nelle fiamme dove la Clizia-Beatrice sarebbe del tutto fuori ruolo. Si scorge così anche la ragione della variante combinata "rompi ... vinci" in "appari ... rompi": che cioè una volta che il fuoco sia "vinto" la ricerca del soggetto, che è pure un compito di salvezza, diventa inutile.

Questa costellazione, il soggetto appartato e difficilmente reperibile, la donna e la folla, la "peschiera" dei lussuriosi che l'insidiano, sarebbe stranamente inedita se non ci fosse un precedente manifesto, sulla scorta del quale non sarà difficile trovarne altre occorrenze. È il *Mottetto* già commentato *La gondola che scivola*, dove infatti, obbedendo alla seduzione del diavolo Dappertutto, i gaudenti sciamano sulle gondole in caccia di piaceri, la donna (che non ha ancora appreso a volare) è rinchiusa dietro "l'alte porte", e il soggetto, "assorto" come il "pescatore d'anguille", risente l'abboccare dei pesci e lo strappo alla lenza come i soprassalti dei sensi. A sua volta il fuoco, le "cataste fumanti" di questa poesia spiegano un passo abbastanza intrigante del *Mottetto*, là dove si parla del "forte / bagliore di catrame e di papaveri", che merita una giunta di riflessione. Si direbbe che lo spunto fantastico, la visione originaria, sia quella di un mucchio di terra, come se ne incontrano nei luoghi abbandonati delle stazioni, sul quale siano cresciuti e fioriti i papaveri: è la vista spesso emozionante della vegetazione che esplode nei luoghi e sui materiali a prima vista meno indicati. Del mucchio di terra la messa in scena portuale ha fatto un mucchio di catrame, sul quale il colore dei papaveri si è trasferito allo stato puro, come fuoco. Ed ecco le "cataste brucianti". Di regola le grandi immagini montaliane hanno una prima realizzazione naturalistica, dove il simbolo è ancora una possibilità latente. Fra questa condizione iniziale e il loro pieno sviluppo simbolico le immagini subiscono come un mutamento di rotta, o meglio di tendenza; sull'altro versante il rientro dalla culminazione simbolica, come una specie di riflusso, lascia dietro di sè un'esperienza "reale", e restituisce a una certa concretezza storica le persone che l'avevano condivisa. Così avviene sovente nelle ultime raccolte, e che questo disebriamento non sia una banalizzazione è uno dei risultati che chiederemmo al nostro studio. Ma del mucchio di catrame e dei papaveri del *Mottetto* non abbiamo precedenti, e il complesso cambia di ben poco entro gli estremi del 1938 e del 1943, che è per la creazione dei miti un periodo di culminazione statica – in contrasto con la turbolenza del mondo affettivo. Ma l'origine naturalistica si lascia identificare se riflettiamo che la donna in fuga nella gondola lascia dietro di sè una scia di desideri, di "ardori": è un momento del sogno profondo dissociato dal contesto come appunto avviene nel sogno. E non per nulla il poeta aveva qualificato *Il tuo volo* come "Poesia alquanto onirica"[5].

[5] BC, p. 948.

Per nulla onirico si mostra invece *Giorno e notte*, che è anzi il resoconto di un'insonnia ripetuta per notti e notti, in un luogo ben determinato e in un tempo datato dall'allusione apparentemente precisa alla guerra: "e si destano i chiostri e gli ospedali / a un lacerìo di trombe...": impressione di vissuto che l'autocommento fa di tutto per rafforzare: "Nel caso di *Giorno e notte* caserme, ospedali e suoni di tromba (la sveglia, il rancio, la libera uscita ecc.) appartengono al quadro della città militarizzata"[6]. La vistosa disparità di tono fra le due poesie sorelle non deve però mascherare il molto materiale comune.

Due interventi espliciti, apparizioni, della donna aprono e chiudono la poesia; il primo è il ricordo onnipresente, che integra in una figura ogni invito e suggerimento del cielo. È una visione di intenso colorito spirituale:

> Anche una piuma che vola può disegnare
> la tua figura, o il raggio che gioca a rimpiattino
> tra i mobili, il rimando dello specchio
> di un bambino, dai tetti.

Il secondo è una discesa dolorosa, associata a un tempo definito come l'alba:

> e ancora le stesse grida e i lunghi
> pianti sulla veranda
> se rimbomba improvviso il colpo che t'arrossa
> la gola e schianta l'ali, o perigliosa
> annunziatrice dell'alba.

Quanto nel cielo e nel gioco del bambino con lo specchio è allusivo della vaga presenza di lei, si realizza e precipita col "colpo" che "schianta l'ali" e nei pianti del bambino "sulla veranda". C'è fra le due apparizioni un richiamo d'ambientazione che le rende in qualche modo contigue. Il motivo della discesa dolorosa è già apparso ne *Il tuo volo*, e risale, come abbiamo notato, al mottetto *Ti libero la fronte*, che abbiamo allineato con altri testi relativi alla *cura* (cap. 4). Il mottetto però non precede, come nel libro, *La gondola che scivola* (1938), ma sarebbe "press'a poco del gennaio 1940"[7], non

[6] BC, p. 946.
[7] BC, p. 913.

sarebbe quindi espressione di saluto e ospitalità per l'amica che viene da lontano, o da qualche penosa esperienza, ma piuttosto una fantasticheria sull'impossibile ritorno di lei, di cui cercheremo più sotto di circoscrivere il significato autentico. In ogni caso sarà questa occorrenza in *Giorno e notte* a trasmettere il motivo all'opera futura. Fra i due interventi espliciti se ne inserisce uno implicito, la presenza di lei ("la luce dei tuoi occhi") nel desiderio notturno:

> Poi la notte afosa
> sulla piazzola, e i passi, e sempre questa dura
> fatica di affondare per risorgere eguali
> da secoli, o da istanti, d'incubi che non possono
> ritrovare la luce dei tuoi occhi nell'antro
> incandescente.

Abbiamo già parlato di questo testo accostandalo a *Sopra una lettera non scritta* ("la fucina vermiglia / della notte"), dove similmente la notte incuba lo spasimo. Ma questa specie di cronaca è molto più dettagliata: "i passi" sono un preciso particolare "realistico", la "dura fatica di affondare per risorgere eguali / da secoli, o da instanti, d'incubi ..." si lascia spiegare e completare nel senso che si "affonda" nel sonno, e si "risorge" da una perenne condizione umana ("da secoli") che è il sogno di un istante e lo strappo che lo termina, prima che possa restituire "i tuoi occhi", arrivare alla figura. A questo punto possiamo rileggere tutta la poesia spiegata nel tempo: il ricordo di lei campeggia nel cielo della sera; al cader della notte ecco il sonno difficile, assediato da pensieri molto più "fisici", e infine al mattino, a provocare il risveglio, la caduta... la quale avviene nel momento in cui gli occhi di lei stanno per apparire, e il desiderio per essere appagato nel sogno: è una storia "eguale / da secoli", del tutto comune. Si vede perché il "volo" de *Il tuo volo* e questo appaiono inconfrontabili: in quello la donna scende per una generalità di desideranti, fra i quali forse anche il soggetto, e il suo pericolo è di chi affronta le loro brame; in questo è visitazione strettamente personale, per il quale tratto rimandiamo ancora a *Ti libero la fronte*: "e l'altre ombre ... non sanno che sei qui".

Nell'autocommento il poeta motiva il paesaggio:

> Sul giro delle mura
> strascichi di vapore prolungano le guglie

> dei pioppi e giù sul trespolo s'arruffa il pappagallo
> dell'arrotino,

con l'ambientazione fiorentina: "Sarebbe difficile vedere pioppi da una veranda milanese ... Comunque a Firenze la natura invade la città, come non avviene a Milano, dove non saprei trovare piazzole con arrotini e pappagalli."[6]; ma è una sorta di *excusatio non petita* perché neppure il paesaggio si sottrae ai suoi doveri simbolici: una linea di alberi alti ("le *guglie* / dei pioppi") prolungati per di più da "strascichi di vapore", come fiamme sul candeliere, "Sul giro delle mura" (ecco un'indicazione per una diversa lettura dell'"alberaia sul muro" di *Barche sulla Marna*), è il limite o se si vuole la linea di ribaltamento fra la terra e il cielo, da cui la donna cercherà di scendere, e che il gallo cedrone tenterà, con simile infortunio, di superare. L'"arruffarsi" poi dei pappagallo è il segno di un'agitazione che annuncia gli spasimi della notte. Ma anche l'oggettività della "città militarizzata" dà luogo a qualche dubbio, perché invece delle caserme "si destano i chiostri e gli ospedali": i luoghi dove la notte è tipicamente quieta e silenziosa, mentre il soggetto esce da una notte agitata.

Quanto al materiale comune che abbiamo annunciato fra le poesie sorelle, possiamo impostare una specie di proporzione fra gl'interventi della donna: la presenza notturna nell'"antro incandescente" di *Giorno e notte* sta all'apparizione al fuoco ("le cataste fumanti") de *Il tuo volo* come "la tua figura" disegnata da "una piuma che vola" ai capelli "biondo / cinerei". Sono i due modi del suo essere ed apparire, a cui corrisponderanno in una unità strutturata i due livelli del ricordo e della contemplazione del soggetto. Non è indiscreto chiedersi che cosa c'è dietro il tema del volo doloroso. La questione è di ordine piuttosto psicologico, e comporta quindi più di una risposta; ma il motivo è troppo importante per restare senza una ragione sufficiente. Ecco le mie risposte: 1) tutto il volo, sia discendente che ascendente (quello, d'altronde assai più tardo, del gallo cedrone), è soggetto allo stesso rischio, votato alla stessa sconfitta: il progetto gnostico non sfugge alla sofferenza cristiana; 2) la sconfitta, il "colpo" sono manifestazioni dell'angoscia, come abbiamo spiegato; 3) il risentimento per la *reale* assenza di lei si esprime in una fantasia coatta di punizione, magari sovracompensata. Le tre ragioni non sono indipendenti e possono ampiamente coesistere, in particolare la terza è necessaria alla seconda, se l'angoscia non deve ricadere tutta sul soggetto. Tolta l'angoscia, dove ha la sua radice, la discesa dolorosa si riduce al motivo, qui non molto profondo e non del tutto giustificabile, della cura.

11

CLIZIA

Il tuo volo e *Giorno e notte* possono essere viste come una sorta di ragionevole congedo, e non per nulla chiudono il ciclo del conflitto e del rancore: poiché tu non puoi soccorrermi nelle necessità della carne, e la spiritualità che ti attribuisci non è in grado di toccar terra, allora... Ma, proprio in quanto motivano questo congedo, le figure e strutture che vi compaiono continuano per molto tempo a esistere come una nuova nozione della donna, la Clizia definitiva, e le coordinate del suo mondo; e quando apparirà una nuova ispiratrice, verrà a collocarsi in quel sistema di riferimento. Si può chiamare la nuova condizione di Clizia, conseguente all'invito a "non turbar l'immondo / vivagno" una sublimata separatezza, che non si limita a registrare la lontananza reale e vissuta, ma si riempie di un nuovo contenuto, o diciamo, di una nuova teoria di lei, astratta ma non sfuggente.

La possiamo definire ricorrendo a due citazioni o riferimenti culturali: il primo è *Due destini* già citata:

> Celia fu resa scheletro dalle termiti,
> Clizia fu consumata dal suo Dio
> ch'era lei stessa.

La poesia è del '73, ma non occorre aspettare tanto per trovare Clizia "consumata": già in *Voce giunta con le folaghe* (1947) si parla di "quella che scorporò l'interno fuoco". Ma importa esaminare il *tertium comparationis*, come il solito limitato ma profondo, fra le due figure. Come nota il poeta[1], "Celia è un personaggio del *Cocktail party* di Eliot; è la missionaria che muore mangiata dalle formiche ..." Il dramma di Eliot è recensito con qualche dubbio in *Troppo oscuro troppo chiaro*, in «Corriere della sera», 14 aprile 1950[2]. Celia

[1] BC, p. 1108.
[2] Ora in *Sulla poesia*, cit., pp. 453-457.

è l'anima diversa che si rende conto di non poter condividere il destino della gente di questo mondo: questa separatezza dagli altri è difficile da descrivere, e da documentare con opportuni "prelievi" dal dialogo estremamente fluido di Eliot[3]:

> It sounds ridiculous but the only word for it
> That I can find, is a sense of sin.

Non lei si sente in peccato, ma il peccato è nella pasta di quel mondo che convenzionalmente lo nega:

> Well, my bringing up was pretty conventional –
> I had always been taught to disbelieve in sin.

È il mondo delle prime sezioni di *The Wasted Land*, al quale si contrappone nell'ultima il luogo dove "is no water but only rock / Rock and no water and the sandy way"[4], e qui[5]:

> The second [way] is unknown, and so requires faith
> The kind of faith that issues from despair
> The destination cannot be described.

Appartiene sia ad Eliot sia a (questo) Montale la stratificazione dell'esistenza in due livelli, che però solo in Eliot è motivata teologicamente, e ammette un mediatore, o piuttosto un commutatore che naturalmente invano si chiederebbe a Montale.

Ma a definire la figura di Clizia non basta la separatezza, il limite verso il basso, occorre anche un confine verso l'alto, un modo d'essere con Dio, che come dice la poesia citata, è "suo" ed è "lei stessa". Se ciò significa che Dio è tutto nel destino di lei, e nella consapevolezza ch'ella ne ha avuta, questa non è un'idea del tutto estranea a Montale, soprattutto nella fase di "decostruzione" a cui *Due destini* appartiene, ma porterebbe a rinunciare all'idea di un Dio "obbiettivo". Per definire quel modo d'essere che si diceva, pos-

[3] T.S. ELIOT, *Opere 1939-1962*; a cura di Roberto Sanesi, 1993, Milano, p. 808.

[4] T.S. ELIOT, *Opere 1904-1939*; a cura di Roberto Sanesi, p. 610.

[5] Cit., p. 816.

siamo prendere come testo il "Nestoriano" di *Iride* e il commento del poeta nell'*Intervista immaginaria* (1946): "E chi la conosce è il Nestoriano, l'uomo che meglio conosce le affinità che legano Dio alle creature incarnate, non già lo sciocco spiritualista o il rigido e astratto monofisita."[6]. Non ho modo di sapere dove Montale avesse attinto le sue nozioni su Nestorio, ma le informazioni più ufficiali si prestano perfettamente alle mie intenzioni. Leggo nell'*Enciclopedia italiana*, alla voce "Nestorio e nestoriani": "Nella teologia nestoriana si afferma sempre più chiara la formula «due nature, due ipostasi, un πρόσωπον» (in essa φύσις e ὑπόστασις possono considerarsi sinonimi per «esistenza concreta», come anche lo erano per alcuni monofisiti) ... L'unione delle due nature è ... per la scuola di Antiochia e per Nestorio bensì inseparabile e inconfusa, ma non essenziale e ontologica [come vuole la scuola di Alessandria]; è un'unione per congiunzione (συνάφεια) personale, morale e volontaria, derivata da una compiacenza (εὐδοκία) che il verbo divino ha concepita *ab aeterno* per l'uomo al quale si è inseparabilmente unito ...", e nell'*Enciclopedia Europea Garzanti*: "A Nestorio [preoccupato soprattutto di salvare l'integrità dell'umanità di Cristo] si oppone Cirillo d'Alessandria [lo "sciocco spiritualista"] per il quale l'unità di Cristo era data dall'unica persona del Verbo preesistente; Nestorio asserisce invece che la divinità «inabita» nell'umanità di Cristo. L'unità delle due nature era garantita per lui dall'unità delle due persone". (Notiamo che la catena "monofisita", "spiritualista", "nestoriano" si lascia completare su questo lato da Ario, che figura insieme a Marcione ne *La cultura*.) Le intenzioni del poeta si raccolgono ancora dall'*Intervista immaginaria*: "la sfinge ... torna a noi come continuatrice e simbolo dell'eterno sacrificio cristiano. Paga lei per tutti, sconta per tutti", e nel commento già citato a *Giorno e notte*: "Il suo compito d'inconsapevole Cristòfora non le consente altro trionfo che non sia l'insuccesso di quaggiù ... Tuttavia è già *fuori*, mentre noi siamo *dentro* ..." C'è non poca elaborazione secondaria in queste dichiarazioni, e la figura di Clizia è anche troppo allineata nel senso di "tutto ciò che c'è di meglio nella fede cristiana": i connotati di Clizia sono quelli della natura umana (se tanto basta) del Cristo nestoriano, così nella "prediletta del mio Dio / (del tuo forse)" de *L'orto* riconosciamo l'εὐδοκία; perciò Clizia non può

[6] BC, p. 963.

essere "Cristòfora", non agli occhi stessi del poeta, s'ella ne fosse "inconsapevole", e il Cristo ineliminabile non la riconoscerebbe come fiduciaria o sorella minore. Per un altro verso si sarà notato che il rapporto di lei con Dio è sovente autoreferenziale: si va dalla continuazione ed eredità di Dio negli ultimi versi di *Iride*:

> *Perché l'opera Sua* (che nella tua
> si trasforma) *dev'esser continuata,*

alla cooperazione nell'attività stessa della creazione, ne *L'orto*:

> o intento che hai creato fuor della tua misura
> le sfere del quadrante e che ti espandi
> in tempo d'uomo, in spazio d'uomo, in furie
> di dèmoni incarnati, in fronti d'angiole
> precipitate a volo ...

Nonostante la precisazione "tempo *d'uomo*", "spazio *d'uomo*", che ripete la connotazione umanistica p. es. di *Tempi di Bellosguardo*, non si tratta di creazione seconda e migliorativa, di una redenzione, se il creato si sdoppia immediatamente nelle figure di opposto segno, "dèmoni" e "angiole". Neppure nei versi dove si tenta di definire il ruolo di Clizia nella storia recente:

> il dì dell'Ira, che più volte il gallo
> annunciò agli spergiuri,
> non ti divise, anima indivisa,
> dal supplizio inumano, non ti fuse
> nella caldana, cuore d'ametista,

si descrive una funzione propriamente cristica, anzi Clizia, che qui eredita i tratti di *Nuove stanze*, è piuttosto quella che "passa alta". E ai "suoi occhi d'acciaio" si può accompagnare il "cuore d'ametista", la pietra che preserva dall'ubriachezza; per dire che nel destino di Clizia non c'era posto per le ebbrezze (o i fanatismi) del tempo, per la "caldana" (che vale anche "scalmana") dove si sarebbe "fusa" con i più.

Il "passare alto" non è solo una metafora nostra, è il motivo ricorrente dello spirito che, per usare la frase dell'*Intervista immaginaria*, "aveva lasciato l'oriente per illuminare i ghiacci e le brume del nord, [e] torna a noi ...” Il riferimento è a *Iride*, ma gli esempi più spiegati si trovano ne *L'ombra della magnolia*:

> ma non te consunta
> dal sole e pur radicata, morbida
> cesena che sorvoli alta le fredde
> banchine del tuo fiume,

e in *Piccolo testamento*:

> e un ombroso Lucifero scenderà su una prora
> del Tamigi, del Hudson, della Senna
> scuotendo l'ali di bitume semi-
> mozze dalla fatica, a dirti: è l'ora –

e magari nell'andare e tornare migratorio di *Voce giunta con le folaghe*:

> Io le rammento quelle
> mie prode e pur son giunta con le folaghe
> a distaccarti dalla tua.

Qui Clizia sorvola l'oceano, ma di solito si tratta di fiumi e, in *Primavera hitleriana*, dei “greti arsi del sud”; altri greti sono quelli dei sette fiumi di Damasco in *Sulla colonna più alta*: “Fra il pietrisco dei sette greti ...”, sui quali occorre spendere due parole. Ricordiamo *Incontro*: “La foce è allato del torrente, sterile / d'acque, vivo di pietre e di calcine”, seguito da una descrizione di vita disseccata, “emunta”. I “greti arsi del sud” devono la loro localizzazione all'opposizione nord/sud, formulata p. es. nell'autocomento a *Il giglio rosso*; il “passare alto” si attaglia quindi a un viaggio, oltreché di ricognizione spirituale, di fecondazione, che attribuisce a Clizia quel ruolo quasi divino ch'ella già aveva nell'*Elegia di Pico Farnese*: “Se urgi fino al midollo i dióspori”.

Dovremmo ormai essere in grado di affrontare la misteriosa *Iride*, “sognata e ritrascritta” due volte, ma non più misteriosa di qualcun'altra. La poesia è composta di due parti, ciascuna delle quali comprende tre strofe di sette versi; alla seconda parte si aggiunge un “congedo” di tre versi. La prima parte ha, al di fuori della parentesi, due principali: “questo e poco altro ... è quanto di te giunge”, e “altro rosario / fra le dita non ho ...”, che è una sorta di ricapitolazione. "Quanto di te giunge" vorrebbe essere un messaggio della donna, sollecitata dal ricordo e dalla preghiera che il soggetto attiva presso di lei, ma il messaggio si riduce al materiale che il soggetto stesso le propone e a "poco" altro, cioè, dentro la parentesi, "un tuo segno, un ammicco". Dalla parte del soggetto è una richiesta di compresenza o almeno una verifica del filo della memoria, come già ne *La casa dei doganieri* e in *Notizie dall'Amiata*.

> Quando di colpo San Martino smotta
> le sue braci e le attizza in fondo al cupo
> fornello dell'Ontario;

"smotta" le braci per raccoglierle e trasportarle, e le "attizza" quando sono arrivate a destinazione. La combustione è a carico del mittente e le braci che bruciano lontano sono state accese presso di lui: il "cupo fornello dell'Ontario" è la "fucina della notte", debitamente trasferita:

> schiocchi di pigne verdi fra la cenere
> o il fumo d'un infuso di papaveri.

Le "pigne verdi" saranno tali per significare un vigore, una linfa che rende più tenace la combustione, e si può ricordare lo "stizzo verde che arso sia" di *Inferno*, XIII,40, e l'"arido paletto" che "ferve trepido" di *Crisalide*; lo schioccare delle pigne verdi "fra la cenere" è una riconversione dei "marroni" che "esplodono" "sul focolare" di *Notizie dall'Amiata*; i "papaveri" ci sono ben noti. Che il trasferimento di questo materiale abbia funzione di appello, è confermato dalla ricapitolazione:

> e altro rosario
> fra le dita non ho, non altra vampa
> se non questa, di resina e di bacche,
> t'ha investita,

dove la "resina" è quella delle pigne, e le "bacche" vi sono localmente, paesisticamente associate. Questa "vampa" d'amore e di sensi è l'unico mezzo di cui il soggetto dispone per mettersi in comunicazione con lei.

Tuttavia il materiale, i segnali, non puntano solo in questa direzione: le "pigne verdi" mi richiamano irresistibilmente il Vangelo di

Luca, 23,31: "Quia si in viridi ligno hoc faciunt, in arido quid fiat?": lungo la strada della croce Gesù dichiara la sua innocenza, infatti non si mette sul fuoco la legna verde; se altrettanto non vale per il soggetto, raccogliamo almeno l'allusione religiosa; l'"infuso di papaveri" si chiama laudano e si usava una volta come sedativo; il "fumo" (il vapore) dell'infuso si unisce al fumo del fuoco di pigne; le "bacche" rimandano ai "pugnitopi" della seconda parte, appartenenti anch'essi, come vedremo, all'ambito religioso dei "vischi"; più che a bruciare esse son chiamate ad allinearsi come i grani di un "rosario": preghiera ripetitiva che lascia all'invocata di stabilire che cosa veramente chieda l'orante. La doppia intenzione del messaggio è riassunta dall'ossimoro "fuoco / di gelo", dove il "gelo" è un tratto dell'ambito religioso, in cui il "fuoco" terreno trova posto in quella congiunzione di carne e anima (ψυχή) che nella seconda parte delle *Notizie* è la sostanza della vita religiosa. Tutto questo:

> è quanto di te giunge dal naufragio
> delle mie genti, delle tue, or che un fuoco
> di gelo porta alla memoria il suolo
> ch'è tuo e che non vedesti ...

Dietro al "suolo" riportato nella memoria, come dietro al "naufragio / delle mie genti, delle tue", c'è forse un dettaglio biografico; ma, se vale quello che stiamo per dire, il dettaglio non solo non è necessario, ma è inutile cercarlo. Penso alla villa ligure de *Il ritorno*, dove il poeta voleva invitare o "adescare" la donna, facendola comproprietaria delle "nostre vecchie scale"; e possiamo agganciare a questo punto anche *Sopra una lettera non scritta*, e vedere nel "naufragio" la frustrazione di una speranza di convivenza, il venir meno delle rispettive "genti". Il "suolo ... che non vedesti" è ancora il luogo dal quale "il burchio non torna indietro", com'è detto nella seconda parte; il "sole di San Martino" che "si stempera, nero", è una ripresa diretta del "sole / che chiude la sua corsa, che s'offusca / ai margini del canto".

Abbiamo aggirato ciò ch'è veramente nuovo e imprevisto nella prima parte: nella comunicazione, come parte della risposta di lei, è compreso

> il Volto insanguinato nel sudario
> che mi divide da te.

È il volto di Cristo nel panno della Veronica, del Cristo che mostrerà a Clizia, nella prima strofa della seconda parte, la sua missione, che la allontanerà definitivamente dal poeta: è la posizione della Celia di Eliot, con sei anni d'anticipo. Che altro ancora ci si può aspettare da lei?

> questo e poco altro (se poco
> è un tuo segno, un ammicco, nella lotta
> che mi sospinge in un ossario, spalle
> al muro, dove zàffiri celesti
> e palmizi e cicogne su una zampa non chiudono
> l'atroce vista al povero
> Nestoriano smarrito).

Il "segno", l'"ammicco" (che non è poco: la frase è modellata su *Nuove stanze*: "se poco è il lampo del tuo sguardo") è quanto può penetrare il "sudario", sfuggire al sequestro della vocazione. La bellezza del mondo, esemplata in un paesaggio africano o piuttosto orientale, l'appagamento dell'al di qua non nasconde l'"atroce vista" del "Volto insanguinato", atroce di per sè e perché esige, con perentorietà quasi impersonale, il distacco di lei: una perdita a cui – e questo è inatteso – il "Nestoriano", che pure "meglio conosce ...", non può acquetarsi, e ne è "smarrito". La vitalità che si spiega nello splendido scenario è impegnata in una "lotta / che ... sospinge in un ossario", non perché la morte è la fine della vita, ma perché nella sua struttura ne è quasi il piano inferiore, la "tomba / che non vola" sotto "il fuoco che cova" di *Lasciando un 'Dove'*. E nell'ossario in basso o "dietro le spalle", il soggetto è incalzato dall'immagine dolorosa del "Volto insanguinato".

Passiamo alla seconda parte. L'argomento della prima strofa è l'elezione di Clizia, dovuta a ciò che nella sua natura supera questo mondo:

> Cuore d'altri non è simile al tuo,
> la lince non somiglia la bel soriano
> che apposta l'uccello mosca sull'alloro.

La lince è l'animale spirituale che vede lontano e, si favoleggiava, anche "attraverso": "Zum Sehen geboren, / Zum Schauen bestellt", come dice Goethe (*Faust*, v.11288 sg.); può darsi che Clizia debba questo suo emblema agli "occhi d'acciaio" di *Nuove stanze*; il "bel soriano", d'altronde parente abbastanza prossimo della lince, è una creatura del mondo degli "zàffiri celesti", come pure l'"uccello mosca", e ne mostra il rovescio d'avidità e di lotta per la vita. I versi seguenti sono difficili ma decisivi:

> ma li credi tu eguali se t'avventuri
> fuor dell'ombra del sicomoro
> o è forse quella maschera sul drappo bianco,
> quell'effigie di porpora che t'ha guidata?

Il "sicomoro", l'albero su cui si arrampica Zaccheo nella poesia già citata per non perdere la visione di Cristo che passa, è metonimia per la terra dov'egli trasmise il suo insegnamento: Canaan nella strofa seguente o la Galilea in *Incantesimo*. È questo insegnamento o tutela di cui Clizia è stata partecipe sotto il sicomoro, a garantire la sua alterità, ma non c'è pericolo che ad allontanarsi da quel luogo, come richiede la sua missione, il "cuore" di Clizia si pareggi al "cuore d'altri", ch'ella perda la sua qualità peculiare? Certo no ma, se pur si desse tale rischio, ella sarebbe pur sempre guidata dalla "maschera sul drappo bianco", dall'"effigie di porpora", da quel Cristo che per il soggetto è motivo di spavento. Queste sono le domande e le risposte attese, ma la formulazione non è così assertiva.

Il contenuto della strofa seguente:

> Perché l'opera tua (che della Sua
> è una forma) fiorisse in altre luci
> Iri del Canaan ti dileguasti
> in quel nimbo di vischi e pugnitopi
> che il tuo cuore conduce
> nella notte del mondo, oltre il miraggio
> dei fiori del desero, tuoi germani,

è già parzialmente messa in chiaro nell'*Intervista immaginaria* citata. Tuttavia se il trasferimento di lei dall'"oriente" a "i ghiacci e le brume del nord" può essere un ampliamento del "dileguasti", non trovo traccia, in questa strofa, dell'"eterno sacrificio cristiano", al contrario ciò ch'ella porta "nella notte del mondo", in un mondo inconsapevole e irredento, è un "nimbo", un'aureola intorno alla testa, di "vischi e pugnitopi". Abbiamo già incontrato due volte i "vischi" ed elencatone le quattro occorrenze. Sono, come i "pugnitopi", decorazioni natalizie, vincoli ereditati dall'infanzia che possono risultare inibenti (*Il giglio rosso*), un richiamo "di fede e di pruina" in una vita, sembra, un po' sbandata (*Per un natale metropolitano*), la vegetazione preziosa di un mondo visitato dallo spirito (*Sulla colonna più alta*): in questa serie *Iride* si inserisce cronologicamente al secondo posto. Il simbolo ha, nelle sue quattro occorrenze, una valutazione ascendente: qui sarà allora un tratto personale o ricevuto ereditariamente, e al tempo stesso il segno visibile di un Cristianesimo ricondotto al suo limite fra ideale e storico. Ma il "dileguarsi" di Clizia ha un precedente ne "il presente s'allontana" di *Palio*, e nel "giorno dei viventi", *il* giorno unico che "c'era", l'incunabulo della fede in un tempo originario e metastorico. Di questo tempo partecipa anche la "lente tranquilla", e tanto confermerebbe che la "rissa cristiana" di *Notizie dall'Amiata* sia, appunto, cristiana, perché entrambi i contendenti sono modi di quella esperienza.

La clausola "oltre il miraggio / dei fiori del deserto, tuoi germani", deve trattenerci un momento. Benché il miraggio sia associato al deserto come un suo tipico fenomento, qui è solo una speranza da rinunciare, quella di veder fiorire il deserto, luogo della religione, coi fiori della vitalità, degli "zàffiri celesti", "tuoi germani" in quanto Clizia, come abbiamo visto, non è priva di potere fecondante. Il mondo da cui Clizia si congeda include la sintesi gnostica, l'unione diretta di carne e spirito, il quale spirito non "fiorisce".

Il contenuto della terza strofa è stato anticipato in quanto ha di più significativo: notiamo solo un altro indizio della parentela di questo testo con *Il ritorno* nel "nostro fiume", come "le nostre vecchie scale". La trasformazione (μετάνοια) di Clizia:

> Ma se ritorni non sei tu, è mutata
> la tua storia terrena, non attendi
> al traghetto la prua,

anticipa molto esattamente il terzo atto di *Cocktail Party*. Celia ha lasciato un innamorato di cui non faceva molto conto, mentre lui era capace di sentire in lei la creatura diversa; è sfuggita prima colla vocazione, poi anche colla morte alla purezza di cuore. Questa affinità mi sembra illuminante anche se non è fondata su influenza reciproca, perché associa una poesia non poco cifrata a un testo chiaro ed esplicito, che si presta a darne, se non la chiave, una sorta di verifica.

La straordinaria invenzione non toglie che vi sia in *Iride* qualcosa di troppo ipercompensativo; dobbiamo quindi aspettarci una dichiarazione in senso opposto, e tale è infatti *'Ezekiel saw the Wheel'* (1946). La poesia consta di trenta versi, con due punti fermi dopo il secondo e il sesto; dal settimo verso in poi è una tirata unica, come *L'anguilla*, perciò il commento può essere condotto nella semplice forma di una parafrasi, che spieghi e collochi i singoli oggetti. La "mano straniera" del secondo verso, che ritorna a chiudere il crescendo come "tuo artiglio", è quella di Clizia, identificata dai suoi capelli "d'allora, troppo tenui, troppo lisci", appartenenti a una natura di lei così differente da quella che domina (o imperversa) nella poesia:

> Ghermito m'hai dall'intrico
> dell'edera, mano straniera?
> M'ero appoggiato alla vasca
> viscida, l'aria era nera,
> solo una vena d'onice tremava
> nel fondo, quale stelo alla burrasca.

La mano straniera *scende* lungo l'"intrico" dell'edera e afferra per i capelli il soggetto, sottraendolo alla vasca. Questa è la terza vasca (la prima è veramente un pozzo) che incontriamo nella poesia di Montale; nelle prime due affiora alla superficie dell'acqua qualcosa che non trova la forza di trattenervisi, di esistere, così in *Vasca*:

> se lo guardi si stacca, torna in giù:
> è nato e morto, e non ha avuto un nome.

Della vicenda ormai consumata, rimane qui solo una "vena d'onice", forse proprio una vena della pietra, che sotto l'acqua mossa trema "quale stelo alla tempesta". Ma forse c'è di più, se è corretto il rimando a *Bassa Marea*:

> e nella sera,
> negro vilucchio, solo il tuo ricordo
> s'attorce e si difende.

Così proprio nella vasca, da cui la "mano straniera" lo strappa, palpita ancora il ricordo dell'altra Clizia. La vasca più prossima è la seguente di *Ribaltamento*, la scena ricorrente di un sogno di disgrazia:

Mi sporgo e vi cado dentro ma dà l'allarme
un bimbo della mia età.

Qui il soggetto si appoggia alla "vasca / viscida" e non si ha da chiedere se rischi di cadervi dentro (ma vedi sotto) o, leopardianamente (Zib.,p. 82), mediti il suicidio. La mano straniera interviene a salvarlo, ma non mancherà di farsi pagare il soccorso prestatogli. Continua:

Ma la mano non si distolse,
nel buio si fece più diaccia
e la pioggia che si disciolse
sui miei capelli, sui tuoi
d'allora, troppo tenui, troppo lisci ...

Si può supporre, per fare un po' d'evemerismo, che i capelli fossero fradici per il bagno nella vasca. E nella caduta sono coinvolti anche i capelli di lei, quelli "d'allora", come abbiamo visto, come ricordo del tempo in cui Clizia era all'unisono col poeta. Continua:

frugava tenace la traccia
in me seppellita da un cumulo,
da un monte di sabbia che avevo
in cuore ammassato per giungere
a soffocar la tua voce,
a spingerla in giù, dentro il breve
cerchio che tutto trasforma ...

Il "breve / cerchio che tutto trasforma" non si ricopre con la "vita che sembrava / vasta" ed era "più breve del tuo fazzoletto", e neppure con la "vita / che t'affabula" di *Notizie dall'Amiata*, benché sia a questa moralmente vicino; il "cerchio" è certo mutuato dal giro della vasca, e il seppellimento della "traccia" avviene per insabbiamento, disfacimento organico, "che tutto trasforma": è la nota che manca alla "vita" di *Notizie*, e che resta in serbo per il "cumulo di strame". Sotto deve trovarsi la "tua voce", "soffocata", "spinta in giù" dal lasciarsi vivere e corrompere. Continua:

raspava, portava all'aperto
con l'orma delle pianelle
sul fango indurito, la scheggia,

la fibra della tua croce
in polpa marcita di vecchie
putrelle schiantate ...

È il materiale delle strofette di *Palio*, la "tua voce" è quella che continua l'insegnamento della "voce della cantina" che "nessuno ascolta, o sei tu"; i "passi" che "sfioravano senza lasciarvi traccia" sono ancora reperibili come "l'orma delle pianelle / sul fango indurito", reperti paleontologici come le impronte degli animali sulle rocce sedimentarie, la "sbarra in croce" è diventata una "croce / in polpa marcita di vecchie / putrelle schiantate", la cantina è crollata e, nel cuore del suo disfacimento, conserva il nucleo autentico della "scheggia". Continua:

il sorriso
di teschio che a noi si frappose
quando la Ruota minacciosa apparve
tra riflessi d'aurora, e fatti sangue
i petali del pesco su me scesero
e con essi
il tuo artiglio, come ora.

Ci sono due tempi in questo periodo; la visione rievocata nei primi quattro versi (fino a "su me scesero") si ripete, caricata del "tuo artiglio", nel tempo della poesia. E la visione è naturalmente quella di *Iride*, il "Volto sanguinoso" è diventato un "teschio" "che a noi si frappose" come il "sudario / che mi divide da te"; i "riflessi d'aurora" e i "petali del pesco" sono dettagli della natura bella degli "zàffiri celesti", contaminati dal sangue. Ma la natura, come appare dal colore dei petali del pesco, vi è già predisposta, e l'"aurora" (già anticipata dall'alba di *Giorno e notte*) diventerà il fondale fisso di queste apparizioni. Non possiamo togliere alla "Ruota" la connotazione negativa del movimento ripetitivo e logorante, che è un tratto contenuto nalla stessa profezia di Ezechiele, I,19: "Cumque ambulabant animalia ambulabant pariter et rotae iuxta ea: et cum elevarentur animalia de terra, elevabantur simul et rotae", e *passim*. Così la pregevole e originaria "scheggia" della croce è immediatamente "l'atroce vista". Questa duplicità del Cristianesimo risale agli inizi della religiosità montaliana, a *Costa San Giorgio*, dove da una parte è il "gelo fosforico d'insetti", dall'altra il "fantoccio", passa poi per *Notizie dall'Amiata*, nella "rissa cristiana" fra la "lente tranquilla" e la "morte che vive", oppone nell'*Elegia di Pico Farnese* il "fanciulletto Anacleto" e gli "uomini-capre", in una forma intricata domina *Palio*: dovunque il rifiuto della forma storica e istituzionale provoca il ripiegamento a un'irraggiungibile condizione aurorale. Un remoto inizio si può trovare in *Stanze*, più indietro non sembra che si possa andare, non esiste ancora negli *Ossi di seppia*. Si capisce perché: il problema, il compito del primo libro è la costituzione della persona, o per restare nelle nostre immagini, lasciare il proprio solco e riempirlo d'acqua, di linfa vitale. Gli altri con cui il soggetto entra in relazione sono dapprima (*Il canneto rispunta i suoi cimelli*) parte di una natura di cui condividono la precarietà, poi (*Crisalide*, *Delta*) persone sì definite ma con le quali sembra che basti regolare il proprio "regime idraulico", trovare un equilibrio di vitalità. La soluzione della difficoltà, che non è ancora un conflitto, è affidata alla stabilità della natura, intesa come una totalità di vita di cui la propria e l'altrui sono parti: il livello dell'Io è lo stesso per entrambe. Ma da *Costa San Giorgio* in avanti due persone s'affrontano con ascendenza e destino peculiari di cui la natura non s'incarica più, nè l'amore sembra in grado di ridurre la differenza, benché Montale abbia più volte sognato l'amore-fusione, da *Ecco il segno* (nei *Mottetti*), a *L'orto*, *Nella serra*, *Nel parco* (in *Silvae*). La religiosità di Montale nasce dall'irriducibilità degli altri, dell'*altra* soprattutto, dato che la donna è la più autorizzata ad avere un'anima, come sarà detto ne *I ripostigli* (in *Quaderno di quattro anni*): "Allora credevo che solo le donne avessero un'anima / e solo se erano belle ...": a parte l'ironia, è proprio dove la distanza fisica dovrebbe annullarsi che l'anima, la distanza della monade, si difende: questo è il senso del "pigro fumo" che "si difende nel punto che ti chiude" in *Perché tardi?*, ed è una spina nel fianco che complica infinitamente la vita. Così si spiega quella sorta di nostalgia per una religiosità semplice, quale egli attribuisce all'Islam, in un pensiero vagamente sorprendente di *Sulla strada di Damasco*[7]: "Non dovette esser facile ai cristiani dell'età d'oro del Califfato resistere alle tentazioni di una religione alla quale si poteva accedere con una semplice formula: «Atteso che non vi è altro Dio che Dio, e che Maometto è il suo inviato»".

[7] In *Fuori di casa,* Ricciardi, Milano-Napoli, 1969, p. 93.

Possiamo forse ammettere a testimoniare anche gli ultimi due versi di *Ezekiel saw the Wheel*[8]:

> You say the Lord has set you free
> Why don't you let yo' neighbor be!

[8] In *Antologia degli Spirituals.* A cura di Elena Clementelli e Walter Mauro, Parma, Guanda, 1976 (Milano, Bompiani, 1977, pp. 132 sgg.).

12
CLIZIA E LA VOLPE

Salvo *Il gallo cedrone*, legato, come abbiamo visto, al viaggio in Libano e in Siria del 1948, tutte le *Silvae* precedono tutte le poesie di *'Flashes' e dediche*, e a maggior ragione, dei *Madrigali privati*; la loro collocazione prima delle *Silvae* è dovuta al desiderio di riprodurre ne *La bufera* la disposizione de *Le occasioni*, dove i *Mottetti* precedono le liriche di maggiori proporzioni e di più ambiziose pretese: così pure il Luperini[1]. Del resto, se nei *Mottetti* balza agli occhi e si conferma a un esame attento la coincidenza fra occasione e pensiero poetico, qui un pensiero persistente e concentrato s'insinua nell'occasione e la rende significativa, come una corrente profonda che cambia il colore della superficie del mare. La conoscenza di questo pensiero e delle tensioni emotive che vi aderiscono, dovrebbe contribuire a illuminare queste brevi liriche, generalmente considerate oscure.

Il pensiero poetico rende conto della struttura di alcune di queste poesie, dove il ricordo carnale è interrotto dall'intervento della donna in quanto creatura separata, di una Clizia magari un po' Beatrice, che scende a rinfacciare al soggetto il traviamento delle sue fantasie. I due momenti si seguono senza mediazione, e si direbbe senza relazione reciproca, cosicché solo il secondo momento porta ancora il nome (d'altronde taciuto) di Clizia. Così in *Argyll Tour*:

> il mugghio del barcone,
> catene che s'allentano –
> ma le tue le ignoravo –,
> sulla scia
> salti di tonni, sonno, lunghe strida
> di sorci, oscene risa, anzi che tu
> apparissi al tuo schiavo ...

[1] In Romano Luperini, *Storia di Montale*, Bari, Laterza, 1992, p. 136.

Il barcone si mette in moto lungo il fiume, che è poi lo scorrere della vita fisica in un torpore (sufficiente al basso livello di coscienza) brulicante di animali in fregola, quasi una tentazione di Sant'Antonio. Si allentano le catene della vita desta, ma non, per quanto ignorate, le catene di lei, che fanno del servizio d'amore una sorta di schiavitù. Una vita assorbita dal desiderio è traversata da lampi del mondo separato, o forse un fedele servizio d'amore rivela in uno strappo la soggiacente servitù della carne. Sono, qui come sempre, due sistemi d'opposizioni uguali nei termini ma contrarie nei valori, delle quali non esiste un "sano" contemperamento.

I due livelli determinano la struttura stessa di *Vento sulla Mezzaluna*, occupando ciascuno una strofa, senza comunicazione evidente. È importante notare che la prima strofa:

> Il grande ponte non portava a te.
> T'avrei raggiunta anche navigando
> nelle chiaviche, a un tuo comando. Ma
> già le forze, col sole sui cristalli
> delle verande, andavano stremandosi.

non è solo circostanziale ("Era in pensier d'amor, quand'io trovai ..."). In termini psicologici, si potrebbe parlare di un'eccitazione che non riesce per stanchezza ("le forze ... andavano stremandosi") a concentrarsi su un oggetto: "Il grande ponte non portava a te": il ponte è anche simbolo fallico. Certo il "comando" di lei potrebbe indurre il soggetto a raggiungerla "navigando / nelle chiaviche", che è una riedizione volutamente "outrée" del viaggio d'amore a nuoto lungo il fiume in *Verso Vienna* (nella nostra idea). Ma lei è già l'altra, è già dall'altra parte, se è corretto il rinvio al "raggio che gioca a rimpiattino" e alla veranda di *Giorno e notte*. La presenza di lei (il nome non è necessario) è implicata nella seconda strofa:

> L'uomo che predicava sul Crescente
> mi chiese «Sai dov'è Dio?». Lo sapevo
> e glielo dissi. Scosse il capo. Sparve
> nel turbine che prese uomini e case
> e li sollevò in alto, sulla pece.

L'aneddoto è noto, ed è riferito in *Viaggiatore solitario*[2]. Rias-

[2] *Fuori di casa*, cit., pp. 19 sgg.

sumo: in una piazza di Edimburgo, che come altre della città ha forma di mezzaluna e perciò è chiamata *Crescent*, si leva un tempio (presbiteriano) dall'insolita forma (per essere esatti) di prisma a base poligonale, su ciascuna delle facce del quale si ripete la scritta "God is not where..." seguita dall'indicazione di qualche luogo dove Dio appunto non è. Il poeta sa – nella poesia, non nel racconto – dove è Dio, e lo dice: anche noi sappiamo che è presso Clizia, che infatti ha dato segno di sè. Il seguito è una favola, dove il mondo che non sa o non accetta la giusta risposta ("Scosse la testa") è portato via in "un turbine". La favola ricorda il "miracolo" di *Forse un mattino* (in *Ossi di seppia*), dove però è descritto il movimento opposto: "s'accamperanno di gitto / alberi case colli"; ma il precedente prossimo è il "dileguarsi" di Clizia in *Iride* e "il presente s'allontana" di *Palio*, già analizzato in quel contesto, al quale rimandiamo. Per la "pece" che resta sulla terra, abbiamo un riscontro nel "nero ghiaccio dell'asfalto" di *Per un 'Omaggio a Rimbaud'*: la pece, notiamo, si ricava dal catrame che è un ingrediente essenziale dell'asfalto; a sua volta la pece motiva il colore nero dell'asfalto.

Il movimento contrario, dal cielo alla terra, struttura, salvo il recupero di quota dell'ultima clausola, *Lasciando un 'Dove'*:

> Una colomba bianca m'ha disceso
> fra stele, sotto cuspidi dove il cielo s'annida.
> Albe e luci, sospese ...

L'occasione è un giro su un aereo da turismo chiamato "Dove" (colomba), rievocato in *Grilli folletti e vampiri*[3]. È del tutto naturale che il cielo "s'annidi" fra le "cuspidi" della cattedrale di Ely, per maggior precisione, penso, di una delle sue torri (belfry), altissima e massiccia; come è naturale che a questa rappresentanza del cielo sulla terra la colomba messaggera affidi il poeta. L'alba come tempo deputato ci è nota da *Giorno e notte* e la ritroveremo, altrettanto "sospesa" (come un panno) in *Verso Finistère*. Ma la mole stessa della grande torre, in opposizione col suo slancio, chiama alla terra il soggetto consenziente (se qui si vuol scorgere una certa diffidenza nei confronti del mezzo aereo, è questione di gusti). Nella discesa si traversano gli strati dell'esperienza come una scala di colore:

[3] *Fuori di casa*, cit., pp. 39 sgg.

ho amato il sole,
il colore del miele, or chiedo il bruno,
chiedo il fuoco che cova, questa tomba
che non vola, il tuo sguardo che la sfida.

Troviamo il "miele" anche in *Notizie dall'Amiata* e *Proda di Versilia*: "A quell'ombre i primi anni erano folti, / gravi di miele, pur se abbandonati". Vedrei nel "miele" la pausa contemplativa e la condizione di chi può ancora farsi nutrire passivamente: qui si trova, attraverso il "bruno", in continuità col "fuoco che cova", come se la contemplazione infantile, così accessibile nella stanchezza e nel riposo, tendesse a riaccendersi per l'insorgere della naturale sensualità – com'è di fatto. Non basta l'"antro incandescente" a spiegare il capolinea sotterraneo della discesa: "questa tomba / che non vola", c'entra anche l'"ossario" di *Iride*. La funzione delle ultime parole: "il tuo sguardo che la sfida" è ormai del tutto chiara, salvo un punto: che "il tuo sguardo" è anch'esso un complemento oggetto di "ho amato": il tutto, per quanto diviso e non mediato, è l'argomento della vita.

Tutto il materiale di *Verso Finistère*, che è l'ultimo numero di questa serie, ci è noto, a cominciare dalla sparizione dei segni della Clizia celeste al termine del giorno, quando i cervi lanciano il loro richiamo, simile all'"ululo di corni" di *Clivo*:

Col bramire dei cervi nella piova
d'Armor l'arco del tuo ciglio s'è spento
al primo buio ...

al ritorno di lei secondo l'alternativa di luce e buio che risale a *Giorno e notte:*

per filtrare poi
sull'intonaco albale dove prillano
ruote di cicli, fusi, raggi, frange
d'alberi scossi.

L'"intonaco albale" deriva dal "sudario" di Iride, e la presenza rinnovata vi "filtra", vi passa a stento come il "questo e poco altro" ancora di *Iride*; infine la "ruota" è la ruota di Ezechiele, capofila di una congerie di ordigni incongrui, "fusi, razzi" (i fusi derivano dai razzi, attraverso il francese "fusée"), "frange / d'alberi scossi", suggeriti forse da una mattinata tempestosa, o forse traduzione dei pensieri e responsabilità che si riaffacciano confusamente ogni mattina. Finalmente il ripristino dello sguardo divino:

> Forse non ho altra prova
> che Dio mi vede e che le tue pupille
> d'acquamarina guardano per lui.

Forse la tempesta si è placata, ma non è necessario invocare l'astronomia o la meteorologia; un pensiero ("Forse non ho altra prova ..." col seguito implicato di *Iride* "se poco / è un tuo segno, un ammicco"), e soprattutto quel saper di sapere che caratterizza il Nestoriano o il soggetto di *Vento sulla Mezzaluna* ("Lo sapevo / e glielo dissi"), bastano a evocare lo sguardo dell'onnisciente, nell'occhio già terreno della pupilla "d'acquamarina" che appare, unica nota di colore, al di là del fondale opaco. Anche la notte, altrove di fuoco, è taciuta perché il Dio di Montale è una metà del mondo, che si ritira dall'altra che non conosce. Una goccia di ciascuno dei grandi miti "filtra" nel racconto di questa esperienza.

Mi son chiesto più volte, prima di stendere queste note, perché in *Sulla colonna più alta*, "la Colonna / sillaba*sse* la Legge per te sola", parendomi superflua una legge che non arrivi agli eventuali trasgressori e si fermi presso chi meno ne ha bisogno; ma quel che abbiamo detto intorno alla separatezza di Clizia e la sua "inhabitatio" divina rende la cosa del tutto chiara. In *Sulla strada di Damasco*[4] si fa parola dei "sette fiumi" di Damasco, che qui sono "sette greti", non solo per ripetere il ben noto simbolo, ma per fornire una via (il "pietrisco") alle creature che vi si raduneranno in attesa del Giudizio. La "colonna più alta" è uno dei minareti della moschea Ommiade, sul quale "la tradizione afferma che verrà a posarsi Gesù in persona, per combattere l'Anticristo, poco prima del Giudizio Finale". L'Antilibano non è (solo) una squisitezza d'intenditore, perché incombe su Damasco e ne fa parte il monte Hermon, la montagna sacra. Chiariti gli elementi di fatto, leggiamo la poesia:

> Dovrà posarsi lassù
> il Cristo giustiziere,
> per dire la sua parola.

[4] *Fuori di casa*, cit., pp. 81 sgg.

Tra il pietrisco dei sette greti, insieme
s'umilieranno corvi e capinere,
ortiche e girasoli.

La trascendenza del Cristo riduce a un medesimo livello pregio e non pregio, elezione e non elezione: tutti ugualmente "umiliati" per essere salvati. Se Clizia è il girasole, la capinera dovrebbe essere un'altrettanto pregiata figura femminile, forse l'Annetta che sarebbe qui per la prima volta chiamata con un nome che si caricherà di contenuto simbolico.

Ma in quel crepuscolo eri tu sul vertice:
scura, l'ali ingrommate, stronche dai
geli dell'Antilibano; e ancora
il tuo lampo mutava in vischi i neri
diademi degli sterpi ...

Il Cristo, venturo per definizione, si è interamente delegato a lei: "... eri tu sul vertice", e non soltanto da "quel crepuscolo", se "ancora" vale "come già altre volte", e per un'efficacia quasi magica, il mondo mal ridotto (gli "sterpi" come i "greti") è riportato alla sua origine, trasformato nella materia del Cristianesimo nascente:

la Colonna
sillabava la Legge per te sola.

A causa della sua separatezza Clizia viene a trovarsi con Dio in un rapporto motivato, "la Legge" appunto; tutti gli altri, girasoli compresi, sono umiliati dalla trascendenza (col Cristo Giustiziere) o ne subiscono passivamente l'azione (con Clizia) in modo automatico e indifferenziato. Ma la gloria, il volo dal sacro al sacro, è accompagnata dalla sofferenza, solidale alla separatezza: il volo, di per sè doloroso, *deve* essere tale perché sia necessario che la colonna intervenga a raccogliere la donna a cui è negato giungere a terra. Aggiungiamo questa motivazione "logica" alle motivazioni psicologiche che abbiamo fornito a suo luogo.

Il passaggio dal regno di Clizia a quello della Volpe è riconoscibile in *Verso Siena*, di cui i versi centrali (3-6) erano già stati pubblicati nel 1943[5]:

[5] BC, p. 957.

(La fuga dei porcelli sull'Ambretta
notturna, al sobbalzare della macchina
che guada, il carillon di San Gusmè
e una luna maggenga, tutta macchie...)

A questo momento unico del paesaggio ai associa, sulla carta se non nel tempo, un momento altrettanto unico, il punto di svolta nella vita:

La scatola a sorpresa ha fatto scatto
nel punto in cui il mio Dio gittò la maschera
e fulminò il ribelle.

E l'associazione è prodotta da una specie di fotomontaggio, scusato con la labilità della memoria, che non sa attestarsi nell'istante più significativo, la "vetta":

Ohimè che la memoria sulla vetta
non ha chi la trattenga!

(Questa non è un'obbiezione alla poesia, è solo una dimostrazione della regola, indicata dal Lévy-Strauss, che il significante eccede il significato; tanto è vero che altri quattro versi disponibili, quelli di *Sul Llobregat* (1954), rimarranno senza contenuto interiore, "significato".) La "scatola a sorpresa" è certo l'analogo mentale di un apparecchio fotografico, che "ha fatto scatto", ha fissato il "punto ...". Il "mio Dio", se non è Clizia, è il suo Dio, che interviene al suo posto, e "fulmina" (che vale anche "fissa col flash", tanto più che la scena è notturna) il "ribelle" che in quell'istante si rende conto del mutamento del suo cuore. Contro però l'aspettativa che il Dio smascheri il ribelle, è lui che "getta la maschera", mostrando evidentemente il suo vero volto. Ma la maschera non può essere che "quella maschera sul drappo bianco", il "Volto insanguinato" di *Iride* ecc. Diciamo allora che il Dio si spoglia dei suoi attributi religiosi, rivelandosi come l'avvocato e il vindice dell'amore di Clizia, di cui sposa gli interessi privati.

Abbiamo detto che una volta costruito il sistema di riferimento di Clizia, in quello avrebbe trovato posto anche la Volpe. Ed è proprio la stabilità delle coordinate che permette di cogliere e interpretare il rapporto fra i due personaggi come un insieme di opposizioni: si mantengono i due livelli, ma la separatezza è abolita e ripristinata la comunicazione; l'ultima parola non è più quella del livello alto, di Clizia e del suo Dio, e il "volo", non più la discesa sofferente, ma lo slancio che lega immediatamente la carne allo spirito, quale è stato teorizzato nel commento a *Barche sulla Marna*, ritorna nel centro dell'interesse. Il fuoco nella caverna, non più compresso, si incrocia col volo e dà origine alla nuova figura dell'incendio, del fuoco ascendente, di cui seguono alcuni esempi: *Dal treno*: "il suo volo / di fuoco m'accecò sull'altro", *Luce d'inverno*: "Alla scintilla / che si levò fui nuovo e incenerito"; *Hai dato il mio nome a un albero*: "Io il tuo / l'ho dato a un fiume, a un lungo incendio", e soprattutto *Da un lago svizzero*: "e a volo alzata un'anitra / nera, dal fondolago, fino al nuovo / incendio mi fa strada, per bruciarvi". Finalmente il mondo di Clizia, fatto di distanza e di dolore, è rifuso in uno spazio accessibile a una ricerca di sicurezza, contatto e continuità.

Continuità in primo luogo con Clizia stessa, perché il primo problema è quello di mediare, o per dir meglio di autorizzare la successione. Per affrontarlo in grande stile bastano al poeta i pochi versi di *Incantesimo* (1948-52, ma direi, per ragioni interne e contro l'opinione dell'apparato[6], piuttosto verso l'inizio):

> Oh resta libera nell'isole
> del tuo pensiero e del mio,
> nella fiamma leggera che t'avvolge,
> e che non seppi prima
> d'incontrare Diotima,
> colei che tanto ti rassomigliava!

Dando a Clizia il nome di Diotima, la donna di Mantinea che insegnò a Socrate, egli dice, le cose dell'amore[7], il poeta struttura la successione, già simile a un'apostasia, come la trasmissione di una scienza sacra, che Diotima per prima gli ha insegnato: "e che non seppi prima / d'incontrare Diotima"; l'oggetto della scienza è per un verso il riconoscimento dell'amore nella donna: "la fiamma leggera che t'avvolge", di cui era partecipe anche Clizia, che in essa si era mostrata per la prima volta; la fiamma che, non immemore di quella

[6] BC, p. 963.
[7] Nel *Simposio* platonico, 201d.

del *Purgatorio, XXV*, di cui abbiamo parlato a proposito del *Il tuo volo*, si distingue dal fumo delle "cataste brucianti"; per l'altro verso della donna nell'amore, "sola e libera" nella solitudine dei due pensieri, "del tuo pensiero e del mio", magicamente accordati: dove per il momento si riconosce il seguito della separatezza di Clizia. Il dantesco "conosco i segni dell'antica fiamma", che ci viene così a proposito, è stato citato da Montale nel discorso *Dante ieri e oggi* (1965)[8] contestualmente a Irma Brandeis e un suo libro.

> In lei vibra più forte l'amorosa cicala
> sul ciliegio del tuo giardino.

Il "ciliegio" è un segno d'identificazione che ritorna in *Per album*: "Mi stesi al piede del tuo ciliegio", ma la cicala "vibra più forte" ancora "in lei", in Diotima o nella fiamma comune. È chiaro che è il poeta l'"amorosa cicala", presente non nominata ne *L'ombra della magnolia*: "La vuota scorza / di chi cantava sarà presto polvere / di vetro sotto i piedi", che si trasmette nello "smeriglio di vetro calpestato" di *Piccolo testamento*. Sarebbe certo un guadagno interpretativo vedere il poeta già nel "guscio di cicala" del mottetto *Non recidere, forbice*, sostituendo il "correlato oggettivo" con una più diretta metafora.

I connotati della nuova donna sono alquanto mutati quando, negli ultimi cinque versi, essa esce dallo *chaperonnage* di Clizia:

> Intorno il mondo stinge; incandescente,
> nella lava che porta in Galilea
> il tuo amore profano, attendi l'ora
> di scoprire quel velo che t'ha un giorno
> fidanzata al tuo Dio.

L'"incandescente", che è poi il fuoco dell'"antro" trasferito sulla donna, non è la semplice continuazione della "fiamma leggera", e l'amore è troppo improvvisamente "profano" (benché non ci si aspettasse altro). La lava, ardore rappreso, lungo la quale l'amore profano è portato "in Galilea", nella vicinanza di Cristo, come l'"ombra del sicomoro" in *Iride*, è una strada senza interruzione nè dislivelli, conforme alla nuova continuità che, imponendosi, deter-

[8] *Sulla poesia*, cit., p. 31.

mina una forte discontinuità fra le due parti della poesia. Quanto al "velo", un caso felice mi ha portato a ripulirlo delle impronte del "Volto insanguinato", sicché si presta a nascondere (e a lasciar trasparire) il trascendente senza compromettersi con la Passione. Come si vede, la poesia è molto ricca di materiale, "messo in opera" con una competenza che però resta al di qua della perfezione, così il risultato tiene non poco del documento "ideologico".

Poiché il "tuo Dio" non è, si suppone, il poeta, e siamo diretti in Galilea, non può essere che il Dio stesso di Clizia, che si rivelerà quando l'"amore profano" sarà stato portato a destinazione; ma non è *tutto* il Dio di Clizia, gli manca il momento cristico, in cui il "nestoriano" vede sgomento la sofferenza umana. Il Dio di Clizia si lascia scomporre e ricomporre, come è anche più chiaro in *Anniversario*:

> Resto in ginocchio: il dono che ho sognato
> non per me ma per tutti
> appartiene a me solo, Dio diviso
> dagli uomini, dal sangue raggrumato
> sui rami alti, sui frutti.

La "fiamma leggera" esclude ormai Clizia, e avvolge solo il poeta adorante e la Volpe. Ma il punto non è questo, non si tratta di tener lontani gli uomini che disturberebbero, ma il "sudario" che divide dalla donna, l'"effigie di porpora" che ricompare, dopo i "petali del pesco" "fatti sangue", nel "sangue raggrumato / sui rami alti". D'altronde si trovano anche i "petali" decolorati, l'"albero" non insanguinato negli ultimi versi di *Hai dato il mio nome a un albero*:

> quercia pronta a spiegarsi su di noi
> quando la pioggia spollina i carnosi
> petali del trifoglio e il fuoco cresce.

Nella situazione del "restare in ginocchio" o del "fuoco che cresce" il volto sanguinoso di Dio non trova posto: quello che rimane è il volo gnostico, l'unione realizzata della carne e dello spirito. Al di là della prestanza fisica, è questa sicurezza nel tagliare e ricomporre che il poeta ammira nella Volpe:

> Se t'hanno assomigliato
> alla volpe sarà per la falcata

prodigiosa, pel volo del tuo passo
che unisce e che divide ...

Dal treno è oscuro per la difficoltà di determinare di quale oggetto vi si parli:

Un tuo collare
ma d'altra tinta, sì, piegava in vetta
un giunco e si sgranava. Per me solo
balenò, cadde in uno stagno. E il suo
volo di fuoco m'accecò sull'altro.

Immagino che l'aneddoto non sia così misterioso: un giunco si piega "in vetta" sotto il peso della sua infiorescenza, e i fiori cadono nell'acqua: ricorda una collana che si sfila. Solo il soggetto può sapere che questo è un "collare" di lei, carico naturalmente, come tanta altra bigiotteria montaliana, del suo *mana*, che ha preso il volo sulle rive del lago. Il suo "volo di fuoco" toglie la vista del volo (l'"altro") delle tortore:

Le tortore colore solferino
sono a Sesto Calende per la prima
volta a memoria d'uomo. Così annunciano
i giornali. Affacciato al finestrino
invano le ho cercate.

Non sapendo se esistano tortore "colore solferino", avanzo un'interpretazione che farebbe della poesia una replica non aggressiva delle *Processioni*. Se non proprio il solferino, lo scarlatto è un colore prelatizio; ora "annunziano / i giornali" che l'arcivescovo è a Sesto Calende "per la prima / volta a memoria d'uomo"; si può aggiungere che la tortora è figura dello Spirito Santo. Così il "color solferino" è l'indizio dell'"altro" volo, spirituale sì ma infetto d'esibizione, che gli occhi del poeta non sono disposti a vedere, occupati soltanto, ed essi soli, dallo strano volo del "collare".

Per un 'Omaggio a Rimbaud' è il capolinea di questo percorso, e come tale è importante anche se somiglia a un complimento spropositato:

Tardi uscita dal bozzolo, mirabile
farfalla che disfiori da una cattedra

l'esule di Charleville,
oh non seguirlo nel suo rapinoso
volo di starna, non lasciar cadere
piume stroncate, foglie di gardenia
sul nero ghiaccio dell'asfalto!

Sotto "disfiorare" trovo nel Devoto-Oli "Privare degli ornamenti o dei pregi, sciupare, guastare", che però non sembra il significato richiesto, dal momento che il volo nel quale la Volpe è esortata a non seguire "l'esule di Charleville", è "rapinoso", irresistibile. La donna è evidentemente una giovane professoressa di francese, che "da una cattedra" sembra per così dire slanciarsi dietro al poeta francese. Il volo di questi si concluderà in un disastro, ma alla donna è serbato ben più alto destino:

Il volo
tuo sarà più terribile se alzato
da quest'ali di polline e di seta
nell'alone scarlatto in cui tu credi,
figlia del sole, serva del suo primo
pensiero, e ormai padrona sua lassù...

Che l'esito del volo non stia a significare la riuscita dell'opera poetica, è ovvio, ma esaminiamo i singoli termini. La "farfalla" è, come abbiamo visto, creatura "bassa", indifferenziata, se non orribile (*Vecchi versi*), che riscatta col numero la qualità (*Verso Capua*, *La primavera hitleriana*), ma di qui in poi è e resta l'"angelica farfalla". Il "tardi uscita dal bozzolo", se non è un tratto biografico, ha probabilmente a che fare con la lunga incubazione, la permanenza nella "lente tranquilla". Chiamare "volo di starna" quello di Rimbaud è forse poco riguardoso, ma ne *L'ombra della magnolia* Clizia è la "morbida / cesena che sorvoli alta le fredde / banchine del tuo fiume", e la cesena è un "grosso tordo, attivamente cacciato per le sue ottime carni", come la starna e il gallo cedrone. Del "nero ghiaccio dell'asfalto", la terra che appare nera a chi si solleva sopra di essa, abbiamo già detto parlando di *Vento sulla Mezzaluna*. Le "piume stroncate" sono di Clizia, le "foglie (forse doveva essere "petali") di gardenia" sono della Volpe. Il volo di Rimbaud è quindi il volo doloroso di Clizia, e se la nuova donna lo intraprendesse dietro l'esempio del poeta francese... non dice che cadrebbe, ma solo che soffrirebbe come lei e perderebbe qualcuno dei suoi ornamenti. L'"alone scarlatto", qualcosa come una corona attorno al sole, non il sole stesso, può forse indicare che il dolore e il sangue degli uomini, che non sono certo scomparsi, sono tuttavia lontani e messi a carico di un sole che è Dio. In "serva del suo primo / pensiero e ormai padrona sua lassù" occorre distinguere due momenti. Senza obbiettare all'ipotesi di derivazione neoplatonica del Jacomuzzi[9], il "primo pensiero" di Dio può essere semplicemente il "Verbum" giovanneo, e poiché questi è il creatore (Giovanni,I,3: "Omnia per ipsum facta sunt, et sine ipso factum est nihil, quod factum est"), la donna ne riceve un ruolo di concreatrice, che già conosciamo dal passo de *L'orto* già citato: "o intento che hai creato ...". Il secondo momento è la "promozione" da serva a padrona, in cui è formulato esattamente quello che ho chiamato il rapporto autoreferenziale di Clizia con Dio. I due destini, di Rimbaud e della Volpe, sono complementari, e messi insieme (che è l'operazione inversa del "passo / che unisce e che divide") formano l'intera figura di Clizia.

Abbiamo indicato fra le inversioni di rotta, e di segno, che oppongono il mondo della Volpe a quello di Clizia, il fatto che allo spirituale non è più data incondizionatamente l'ultima parola; del che *Nubi color Magenta* è un chiaro esempio, che avremmo accostato, nell'ambito di Clizia, a *Lasciando un 'Dove'*, se questo non finisse con una svirgolatura verso l'alto: "il tuo sguardo che la sfida". Le prime due strofe riprendono l'apparizione di Clizia nell'*Elegia di Pico Farnese* (presente anche ne *Le processioni del 1949*), ma il volo e l'arresto sono qui divisi fra due strofe e paesaggi (la "grotta di Fingal", il "ponte ... sull'Agliena") diversi, o almeno successivi. Così nella prima strofa:

con un salto
il tandem si staccò dal fango, sciolse
il volo tra le bacche del rialto.

Vorremmo fare a meno dell'ovvia simbologia del "fango", ma le "bacche del rialto" sono elementi del forteto in cui ne *Il tuo volo* la donna va a impigliarsi, per non dire che, nell'opposta direzione, le

[9] ANGELO JACOMUZZI, *Per un 'Omaggio a Rimbaud'*, in *La poesia di Montale,* cit., p. 117.

bacche sono associate ai "pugnitopi" (in *Iride*). Nella seconda strofa, all'arresto:

> La tua ala d'ebano
> occupò l'orizzonte
> col suo fremito lungo, insostenibile

ritorna "la tua frangia d'ali" e i suoi successivi *avatara*. Il punto fondamentale è l'imperio che, nello spirituale, il soggetto vi esercita: "pedala, / angelo mio!", "resta!", che fa di lei l'obbediente, anzi ipnotica, esecutrice, la creatura di lui, in un ruolo pigmalionico di cui abbiamo rilevato e ancora rileveremo le tracce.

La terza strofa comincia con una dichiarazione di sconfitta: "Come Pafnuzio nel deserto, troppo / volli vincerti, io vinto", che è la resa al desiderio che ci aspettavamo, anticipata dai segni dei paesaggi (la "grotta" per la "caverna") e del cielo ("Nubi color magenta", "Nubi color di rame" per il "tuo colore" che non occorre più specificare), ma non è tutto: come una successione di dinastie avviene fra la seconda e la terza strofa, in cui il dominio del soggetto è completamente rovesciato in quello di lei: "volo con te, resto con te", quasi subordinasse alla volontà di lei quello ch'era stato il campo del suo imperio. Da questa perdita definitiva di sè, salva solo, se ho letto bene, l'intermittenza, con cui si chiude *Da un lago svizzero*. Il soggetto vi si identifica col "poeta assassinato" del romanzo di Apollinaire, ucciso con la soddisfazione, se non la complicità, della fanciulla amata. Nella poesia egli è attirato in una "grotta", segnalata da un falò estinto, dove "un tondo di zecchino" "accendeva il *suo* viso":

> ed io ansioso
> invocavo la fine su quel fondo
> segno della tua vita aperta, amara ...

L'attrattiva del "solco pulsante" è ripetitiva e irresistibile:

> Entro quel solco
> pulsante in una pista arroventata,
> ...
> io, straniero,
> ancora piombo; e a volo alzata un'anitra

nera, dal fondolago, fino al nuovo
incendio mi fa strada, per bruciarvi.

Questo commento è molto sommario, e ne avrei fatto a meno volentieri, ma ho trovato irresistibile la situazione di conflitto che si adombra nella poesia.

Un accostamento unico ci permette d'intendere *Sulla Greve*, ritornando al principio: così riteniamo, benché *Da un lago svizzero* sia stato pubblicato prima di questa, uscita però (1950) in una serie che comprende poesie risalenti fino al 1948:

Ora non ceno solo con lo sguardo,
come quando a un mio fischio ti volgevi
e ti vedevo appena. Un masso, un solco
a imbuto, il volo nero d'una rondine,
un coperchio sul mondo...

Che cosa succeda in questa poesia, più velata che cifrata, è rivelato dal "solco / a imbuto", che si accompagna nella stessa posizione al "solco / pulsante", per indicare quello che l'Aretino chiamava, fra altri modi, il "fesso". Il pasto è quindi una metafora della vita sessuale, e il senso è: la mia magra cena d'una volta consisteva nel fischiarti dietro per farti voltare, e anche così "ti vedevo appena". Ora il "masso", il "coperchio sul mondo", rinchiude noi due soli, amanti, dal resto del mondo, o piuttosto dal cielo che non ci vede sotto il coperchio: sembra che Clizia non c'entri per nulla, in realtà ha la sua parte proprio perché è esclusa. Il "volo nero d'una rondine" non ha nulla del volo di Clizia, però è "nero" come l'anitra che si leva dal "fondolago", e sarà anch'esso raccordato all'altro volo. La situazione è meno che allusa nella seconda strofa, ma "il tuo profondo / respiro vino" rimanda alle "fienagioni / che stordissero intense" e al "respiro calmo / di donne che s'addormentano" della variante di *Barche sulla Marna*. L'ordine cronologico, se non anche delle poesie, dei fatti della vita, vorrebbe che *Verso Siena* seguisse, a modo di conseguenza, *Sulla Greve*, e se non fosse per l'inattendibilità dei versi centrali, si potrebbe osservare che San Gusmè e l'Ambra (l'Ambretta non l'ho trovata sulla carta) seguono la Greve in un itinerario da Firenze a Siena.

Ho lasciato per ultime, in questo percorso che non riesce ad essere del tutto rettilineo, due poesie fra le più belle. Il senso dei primi versi di *Siria*:

Dicevano gli antichi che la poesia
è scala a Dio. Forse non è così
se mi leggi. Ma il giorno io lo seppi
che ritrovai per te la voce ...

sarebbe abbastanza semplice, se non fosse per quell'inciso "Forse non è così ...", sul quale torneremo. Che la poesia *non* sia scala a Dio, è se non altro un'eredità di Clizia, della distanza ch'ella pone fra l'uomo e Dio, colmabile solo a patto di passare attraverso il "sipario". Ma ritrovando la voce per tuo mezzo ("per te") ho saputo che avevano ragione gli "antichi": ragione da far valere retrospettivamente per tutta la poesia, non solo per quella che il poeta scrivesse da quel momento in poi. Ragione del tutto privata e non comunicabile con la persona neppure la più vicina: "se mi leggi". La correttezza di una proposizione "se ... allora" si può verificare rovesciandola: in questo caso: "se fosse scala a Dio, non mi leggeresti". Ciò prova che la poesia non è un tentativo di agganciare la donna con promesse oltremondane. Infatti nel paesaggio che segue:

sciolto
in un gregge di nuvoli e di capre
dirompenti da un greppo a brucar bave
di pruno e di falasco ...

il soggetto è solo in una natura difficile, ma senza sipari, senza veli divisori, o vogliamo dire che il velo è arrivato fino a terra e tutto ne è avvolto:

E i volti scarni
del sole e della luna si fondevano,
il motore era guasto ed una freccia
di sangue su un macigno segnalava
la via di Aleppo.

Il "volto insanguinato", il "drappo" definitivamente ammainato sul "macigno" non perde tuttavia la funzione di "segnalare / la via di Aleppo", un termine locale per la Galilea. Forse c'è una malizia nel "motore ... guasto", come se non vi fosse fretta di arrivare a destinazione. I "volti scarni" sono il ricupero di una variante di *Costa San Giorgio*: "il volto scarno della luna", sostituito da "un velo scialbo sulla luna", dovendo quello che "resta" essere materia a mala pena organica, non un volto formato e riconoscibile. Ma il fondersi del sole e della luna, di evidente significato "nuziale", si rapporta a un passo del mottetto *Perché tardi?*: "La mezzaluna scende col suo picco / nel sole che la smorza", dove l'esemplare smorzarsi è l'altra possibilità rispetto all'incendio, o al nulla, che la folgore lascia prevedere. Così pure qui, in un contesto dove il fuoco e l'incendio sono ricorrenti, sembra che nel panorama solitario sia concessa al poeta una sosta di contemplazione.

Tutta la tematica di Clizia, riveduta ad uso della Volpe, ed altro ancora si dà convegno in *So che un raggio di sole*, che però non è un magazzino, ma un testo compatto e coerente (e oscuro):

> So che un raggio di sole (o di Dio?) ancora
> può incarnarsi se ai piedi della statua
> di Lucrezia (una sera ella si scosse,
> palpebrò) getti il volto contro il mio.

L'aneddoto sembra non esser altro che un bacio scambiato dietro una statua in qualche museo: se il nome di Lucrezia ha un valore simbolico, mi sfugge. La movenza iniziale ("So che ...") è la stessa di *Siria*, e come in *Siria* la comunicazione con Dio nella poesia, così qui appare improvvisamente ripristinata la possibilità che "un raggio di sole" ("di Dio", come nella chiusa di *Per un 'Omaggio a Rimbaud'*) torni ("ancora") ad incarnarsi, ciò che, da *Gli orecchini* in poi, era negato a Clizia. Anche la statua – forse la matrona romana, sacrificatasi al suo onore coniugale, cambia proposito per simpatia – trova il movimento ("si scosse, / palpebrò"), e questo è il tema pigmalionico, che abbiamo incontrato a proposito di *Annetta* (cap. 8) e riferito al mito della "lente tranquilla", alla rinascita dopo l'incubazione nel gelo. Infatti la sceonda quartina:

> Qui nell'androne come sui trifogli,
> qui sulle scale come là nel palco;
> sempre nell'ombra: perché se tu sciogli
> quel buio la mia rondine sia il falco.

è servito con altri passi all'identificazione del mito (cap. 6): riconosciamo "l'androne", "la scala", "il palco" ma ecco inaspettatamente "i trifogli", che non sono luogo di segregazione, anzi al contrario d'amore, vedi i "carnosi petali dei trifogli" in *Hai dato il mio nome a un albero* già citato. L'assimilazione di questo luogo agli altri, la loro sostanza comune è l'altrettanto imprevista "ombra" che protegge il processo della rigenerazione: dappertutto, anche nell'amore, la rigenerazione continua (o se si vuole anche l'amore serve alla rigenerazione), e quando sarà compiuta, com'è in potere di lei portarla a compimento ("se tu sciogli / quel buio") la donna d'amore – perché "la mia rondine" deriva da *Sulla Greve* – sarà il falco, il cui volo non è più, come quello del gallo cedrone e di Clizia, interrotto da uno sparo, ma s'innalza per unire la carne allo spirito. Qui ha certamente la sua origine anche la "farfalla".

Dopo *Piccolo testamento* (1953), forse dedicato alla Volpe ma profondamente immerso nel mondo di Clizia, e *Il sogno del prigioniero* (1954), la tematica che siamo venuti discutendo sparisce completamente, o rivive come ricordo ironizzato in poesie come *Proteggetemi* (1976) o nella forma affettuosa ma irrilevante de *L'angelo nero* (1968). La sparizione del mito non significa cancellazione delle persone, ché anzi le "depositarie del mio cuore" (in *Domande senza risposta* (1975) già citato) sono ricondotte alla loro dimensione biografica, senza perdere d'intensità che per la loro crescente lontananza nel tempo. Per otto anni, dopo il 1954 fino al 1962 il poeta tace. In *Dialogo con Montale* (1960)[10] egli giustifica il suo silenzio con queste parole: "È accaduto che di fronte alla massiccia produzione in versi che ha invaso il nostro paese, e non solo il nostro, io abbia sentito alquanto intollerabile il nome di poeta." Se l'ultima frase è vera, non lo è certo per la "massiccia produzione ..."; penso piuttosto che la ragione sia dell'ordine della vita e non della letteratura, qualcosa come "i perduti giorni" e "le notti vaneggiando spese"[11].

La sola eccezione a quel silenzio è una poesia di *Satura II*, datata vagamente 1950-1960, e poi 1963, forse per farla rientrare nei ranghi[12]. Il titolo, *La belle dame sans merci*, è preso da una ballata di Keats, di cui però non vedo la relazione con la nostra poesia, a meno che al poeta si adatti la qualifica di "haggard and woe-begone"

[10] *Sulla poesia,* cit., p. 578.

[11] Una formulazione moderna potrebbe essere quella di Eliot in *Cocktail Party,* cit., p. 818: "the final desolation / Of solitude in the phantasmal world / Of imagination, shuffling memories and desires.".

[12] BC, p. 1005.

(v.6), o che in lei che, secondo la dichiarazione dell'autore, "non è una donna importante", si possa scorgere una creatura fatale: di questo almeno nella poesia non c'è traccia.

> Certo i gabbiani cantonali hanno atteso invano
> le briciole di pane che io gettavo
> sul tuo balcone perché tu sentissi
> anche chiusa nel sonno le loro strida.

L'aneddoto qui ricordato potrebbe risalire ai giorni di *Da un lago svizzero*. Non solo la donna è sparita, avvenimento considerato relativamente ovvio, ma è mutata la vita: "Certo ...", chi potrebbe pensare ormai che i gabbiani cantonali ... La terza quartina:

> Stupefacente il tuo volto s'ostina ancora, stagliato
> sui fondali di calce del mattino;
> ma una vita senza'ali non lo raggiunge e il suo fuoco
> soffocato è il bagliore dell'accendino.

Il "fuoco / soffocato" e ridotto al "bagliore dell'accendino" è la continuazione dell'"incendio" delle poesie della Volpe che, incrociato attraverso il "bagliore" ai due ultimi versi di *Piccolo testamento*: "il tenue bagliore strofinato / laggiù non era quello d'un fiammifero", mostra un abisso di depressione e di perdita d'autostima. Ma è più importante "il tuo volto" che "s'ostina ... stagliato / sui fondali di calce del mattino", dove compaiono due motivi, il "volto" e i "fondali di calce" tipici di Clizia, da *Giorno e notte* a *Verso Finistère*, ai quali si accompagna una dichiarazione d'irraggiungibilità: "ma una vita senz'ali non lo raggiunge", che è la premessa della separatezza. Non penso che nella mente del poeta, "nella calotta del *suo* pensiero", le due figure si siano mescolate e confuse: Clizia e la Volpe sono le forme in assenza e in presenza della stessa entità, per cui questa, nella lontananza, prende i tratti di quella.

INDICE

Questo volume è stato composto
dal Centro Grafico Meridionale s.r.l., Napoli
ed impresso da La Buona Stampa s.p.a., Ercolano
nel mese di maggio dell'anno 1997
per le Edizioni Scientifiche Italiane s.p.a., Napoli
Stampato in Italia / Printed in Italy